7년 연속  전체 수석  합격자 배출

박문각

박문각 감정평가사

본 교재를 통해 공부하는 수험생들의 감정평가사 시험 최종 합격을 진심으로 기원합니다.

감정평가실무 과목에 있어 기본이론을 통해 습득한 이론을 연습해보는 것은 선택이 아닌 필수다. 감정평가실무는 많은 수험생들이 가장 어렵게 생각하는 과목이다. 이는 감정평가실무의 학습 분량이 방대하고, 설령 기본적인 이론을 잘 학습하였다 할지라도 그 내용을 문제풀이에서 모두 발휘하기가 어려워서일 것이다. 저자는 십 년간 강의를 하면서 감정평가사를 준비하는 수험생들에게 감정평가실무 과목을 가장 흥미롭게 공부할 수 있는 방법이 무엇인지를 고민하여 왔다. 본 교재는 이러한 고민에서 출간된 것이라 할 수 있다.

S+감정평가실무연습 기본문제는 기본이론을 학습한 수험생이 시중의 다양한 난이도의 문제집을 접하기 전에 가장 먼저 접하기에 최적화하여 구성하였다. 또한 기본강의만 수강하고도 문제를 접하는 데 있어 전혀 어려움이 없는 난이도로 구성하여 문제풀이에 대한 부담감을 줄였다. 한편, 감정평가에서 실무적으로 가장 많이 사용하는 평가기법을 중심으로 문제를 출제하였으며, 실제 부동산을 목적물로 하여 수험생들로 하여금 현장감을 높일 수 있도록 문제를 구성하였다.

저자는 수험생들이 본 교재의 문제를 쉽게 풀 수 있는 실력이면 기본적인 감정평가의 실력은 갖추었다고 생각한다. 이후에는 감정평가실무와 관련된 세부적인 이슈들이 문제에서 어떻게 적용되는지를 연습하면 될 것이다. 이런 절차에 대한 부분은 S+감정평가실무연습 종합문제를 통하여 충분히 연습할 수 있을 것으로 본다.

감정평가사 2차 시험이 논술식 시험이고 특히 실무과목은 복잡한 계산과정을 포함하고 있기 때문에 아무리 지식이 많다고 하더라도 시험장에서 그 지식을 효율적으로 서술하지 못하면 고득점을 받기 어렵다. 특히 감정평가실무는 예상치 못한 문제들로 그동안 수험생들을 많이 괴롭혀 왔다. 다양한 문제를 통해 습득한 기본이론을 충분히 연습하는 것만이 안정적인 점수 확보의 지름길이라 할 수 있다.

아무쪼록 본 교재가 수험생들의 실무능력을 향상시키고 실무과목에 흥미를 느끼게 하기를 바란다.

수험과정 중 다양한 질문이 생길 것이다. 본 교재의 표지에 있는 웹사이트를 통해 저자는 수험생들과 항상 같이 호흡하고 있다. 웹사이트를 적절하게 활용하여 시행착오를 최소화하기를 바란다.

다시 한번 수험생들의 감정평가사 시험 최종 합격을 기원한다.

연구실에서

감정평가사 유도은

감정평가사란?

감정평가란 토지 등의 경제적 가치를 판정하여 그 결과를 가액으로 표시하는 것을 말한다. 감정평가사(Certified Appraiser)는 부동산·동산을 포함하여 토지, 건물 등의 유무형의 재산에 대한 경제적 가치를 판정하여 그 결과를 가액으로 표시하는 전문직업인으로 국토교통부에서 주관, 산업인력관리공단에서 시행하는 감정평가사시험에 합격한 사람으로 일정기간의 수습과정을 거친 후 공인되는 직업이다.

시험과목 및 시험시간

가. 시험과목(감정평가 및 감정평가사에 관한 법률 시행령 제9조)

시험구분	시험과목
제1차 시험	❶ 「민법」 중 총칙, 물권에 관한 규정 ❷ 경제학원론 ❸ 부동산학원론 ❹ 감정평가관계법규(「국토의 계획 및 이용에 관한 법률」, 「건축법」, 「공간정보의 구축 및 관리 등에 관한 법률」 중 지적에 관한 규정, 「국유재산법」, 「도시 및 주거환경정비법」, 「부동산등기법」, 「감정평가 및 감정평가사에 관한 법률」, 「부동산 가격공시에 관한 법률」 및 「동산 · 채권 등의 담보에 관한 법률」) ❺ 회계학 ❻ 영어(영어시험성적 제출로 대체)
제2차 시험	❶ 감정평가실무 ❷ 감정평가이론 ❸ 감정평가 및 보상법규(「감정평가 및 감정평가사에 관한 법률」, 「공익사업을 위한 토지 등의 취득 및 보상에 관한 법률」, 「부동산 가격공시에 관한 법률」)

나. 과목별 시험시간

시험구분	교시	시험과목	입실완료	시험시간	시험방법
제1차 시험	1교시	❶ 민법(총칙, 물권) ❷ 경제학원론 ❸ 부동산학원론	09:00	09:30~11:30(120분)	객관식 5지 택일형
	2교시	❹ 감정평가관계법규 ❺ 회계학	11:50	12:00~13:20(80분)	
제2차 시험	1교시	❶ 감정평가실무	09:00	09:30~11:10(100분)	과목별 4문항 (주관식)
	중식시간 11:10 ~ 12:10(60분)				
	2교시	❷ 감정평가이론	12:10	12:30~14:10(100분)	
	휴식시간 14:10 ~ 14:30(20분)				
	3교시	❸ 감정평가 및 보상법규	14:30	14:40~16:20(100분)	

※ 시험과 관련하여 법률·회계처리기준 등을 적용하여 정답을 구하여야 하는 문제는 시험시행일 현재 시행 중인 법률·회계처리기준 등을 적용하여 그 정답을 구하여야 함

※ 회계학 과목의 경우 한국채택국제회계기준(K-IFRS)만 적용하여 출제

다. 출제영역 : 큐넷 감정평가사 홈페이지(www.Q-net.or.kr/site/value) 자료실 게재

응시자격 및 결격사유

가. 응시자격 : 없음

※ 단, 최종 합격자 발표일 기준, 감정평가 및 감정평가사에 관한 법률 제12조의 결격사유에 해당하는 사람 또는 같은 법 제16조 제1항에 따른 처분을 받은 날부터 5년이 지나지 아니한 사람은 시험에 응시할 수 없음

나. 결격사유(감정평가 및 감정평가사에 관한 법률 제12조, 2023.5.9. 시행)

다음 각 호의 어느 하나에 해당하는 사람

1. 파산선고를 받은 사람으로서 복권되지 아니한 사람
2. 금고 이상의 실형을 선고받고 그 집행이 종료(집행이 종료된 것으로 보는 경우를 포함한다)되거나 그 집행이 면제된 날부터 3년이 지나지 아니한 사람
3. 금고 이상의 형의 집행유예를 받고 그 유예기간이 만료된 날부터 1년이 지나지 아니한 사람
4. 금고 이상의 형의 선고유예를 받고 그 선고유예기간 중에 있는 사람
5. 제13조에 따라 감정평가사 자격이 취소된 후 3년이 지나지 아니한 사람. 다만, 제6호에 해당하는 사람은 제외한다.
6. 제39조 제1항 제11호 및 제12호에 따라 자격이 취소된 후 5년이 지나지 아니한 사람

합격자 결정

가. 합격자 결정(감정평가 및 감정평가사에 관한 법률 시행령 제10조)

- 제1차 시험

  영어 과목을 제외한 나머지 시험과목에서 과목당 100점을 만점으로 하여 모든 과목 40점 이상이고, 전 과목 평균 60점 이상인 사람

- 제2차 시험
  - 과목당 100점을 만점으로 하여 모든 과목 40점 이상, 전 과목 평균 60점 이상을 득점한 사람
  - 최소합격인원에 미달하는 경우 최소합격인원의 범위에서 모든 과목 40점 이상을 득점한 사람 중에서 전 과목 평균점수가 높은 순으로 합격자를 결정

  ※ 동점자로 인하여 최소합격인원을 초과하는 경우에는 동점자 모두를 합격자로 결정. 이 경우 동점자의 점수는 소수점 이하 둘째 자리까지만 계산하며, 반올림은 하지 아니함

나. 제2차 시험 최소합격인원 결정(감정평가 및 감정평가사에 관한 법률 시행령 제10조)

제1차 시험 면제

가. 2023년도 제34회 감정평가사 제1차 시험 합격자(2024년도 시험에 한함, 별도의 서류 제출 없이 인터넷 원서접수, 제1차 시험 '재응시자'로 선택하여 접수)

나. 감정평가 및 감정평가사에 관한 법률 시행령 제14조에서 정한 다음 기관에서 2024.03.01. 기준 5년 이상 감정평가와 관련된 업무에 종사한 사람(해당자는 제2차 시험 접수기간에 접수)

※ 제출 서류에 다음 법정기관, 면제대상 기관, 면제대상 업무가 모두 명확히 명시된 경력에 한하여 인정 가능 (예 국세청 재산세과에서 실제 기준시가 조사·결정 업무를 수행하였으나 제출한 서류상 확인 불가한 경우 인정 불가)

1. 감정평가법인
2. 감정평가사사무소
3. 한국감정평가사협회
4. 한국부동산원법에 따른 한국부동산원
5. 국유재산 관리 기관
6. 감정평가업무 지도·감독 기관
7. 개별공시지가, 개별주택가격, 공동주택가격 결정·공시업무를 수행 또는 지도·감독 기관
8. 토지가격비준표, 주택가격비준표 및 비주거용 부동산가격비준표 작성업무 수행 기관
9. 과세시가표준액 조사·결정업무 수행 또는 지도·감독 기관

공인어학성적

가. 제1차 시험 영어 과목은 영어시험성적으로 대체

- 기준점수(감정평가 및 감정평가사에 관한 법률 시행령 별표 2)

시험명	토플		토익	텝스	지텔프	플렉스	토셀	아이엘츠
	PBT	IBT						
일반응시자	530	71	700	340	65 (level-2)	625	640 (Advanced)	4.5 (Overall Band Score)
청각장애인	352	-	350	204	43 (level-2)	375	145 (Advanced)	-

- 제1차 시험 응시원서 접수마감일부터 역산하여 2년이 되는 날 이후에 실시된 시험으로, 제1차 시험 원서 접수 마감일까지 성적발표 및 성적표가 교부된 경우에 한해 인정함
- 이하 생략(공고문 참조)

제34회 감정평가사 제2차 시험 합격자 통계

1. 시행현황

(단위: 명, %, 점)

구분	대상	응시	결시	응시율	합격	합격률	합격선
감정평가사 제2차	2,655	2,377	278	89.53	204	8.58	50.00

※ 2022년도 제33회 감정평가사 2차 : 대상 2,227명/응시 1,803명/합격 202명(11.20%)

2. 과목별 채점결과

(단위: 명, 점, %)

과목	응시자수	평균점수	최고점수	과락자	과락률
감정평가실무	2,337	28.82	60.50	1,861	78.29
감정평가이론	2,179	34.34	63.50	1,277	58.60
감정평가및보상법규	2,130	36.45	75.00	994	46.67

※ 합격자 평균 52.29점, 총 평균 30.98점

3. 최근 5년간 응시유형별 합격 현황

(단위: 명, %)

연도(회차)	2019(30회)	2020(31회)	2021(32회)	2022(33회)	2023(34회)
계(합격률)	181(15.03)	184(16.37)	203(13.25)	202(11.20)	204(8.58)
일반응시자	62	46	80	51	88
전년도 1차 합격자	116	128	116	143	113
경력에 의한 1차 면제자	3	10	7	8	3

4. 합격자 연령별 현황

(단위: 명 / 만 나이 기준)

합계	20대	30대	40대	50대	60대 이상
204	118	71	14	1	0

5. 합격자 성별 현황

(단위: 명, %)

합계	남성	여성	여성 합격자 비율
204	125	79	38.73

6. 기타 현황

최고득점	최고령	최연소
59.50점	1973년생	2002년생

CONTENTS
이 책의 차례

PART 01 문제편

PART 02 예시답안편

PART 03 부록편

별책부록

PART 01

문제편

PART 01

문제편

QUESTION 01

감정평가사 甲 씨는 (주)B로부터 해당 기업이 보유하고 있는 토지에 대한 시가참조목적의 감정평가를 의뢰받고 아래의 자료를 수집하였다. 주어진 자료를 참고하여 토지의 시장가치를 감정평가하시오. 20점

자료 1 평가대상 부동산의 현황

1. 소재지 : A시 B구 C동 100번지
2. 토지 : 800㎡, 대, 준주거지역, 가장형, 평지, 중로한면
3. 건물 : 지상에 건물이 소재하지 않으며, 해당 토지에 대하여 최근 건축허가를 신청하였으며, 용도는 근린생활시설(상업용)이다.
4. 감정평가의뢰는 2025년 9월 1일에 하였으며, 가격조사는 2025년 9월 7일에 완료하였다.

자료 2 주변환경 및 시장상황

해당 토지가 소재하는 인근은 중로변으로는 노선상업지대로서 번화한 상가가 혼재하고 있으며, 소로 및 세로변의 후면상업지대는 상가 및 주상용 건물이 소재하고 있다.

자료 3 인근지역의 표준지공시지가(2025년 1월 1일)

기호	소재지	면적(㎡)	지목	용도지역	이용상황	도로교통	형상지세	공시지가(원/㎡)
1	C동 101-1	250	대	준주거	주상용	소로한면	가장형 평지	3,000,000
2	C동 99-1	200	대	준주거	상업용	중로한면	정방형 평지	5,200,000
3	C동 103	400	대	2종일주	주상용	중로한면	세장형 완경사	4,000,000

자료 4 개별요인 비교치(제시되지 않은 조건은 대등한 것으로 본다)

1. 접면도로

구분	중로한면	소로한면	세로(가)
평점	1.00	0.85	0.70

2. 형상

구분	가로장방형	정방형	세로장방형	부정형
평점	1.05	1.00	0.95	0.85

3. 지세

구분	평지	저지	완경사	급경사	고지
평점	1.05	1.00	0.95	0.90	0.85

4. 대상토지는 비교표준지 대비 지하철역과의 거리에서 5% 우세하다.
5. 비교표준지는 평가선례에 비하여 상권의 번화함 정도에서 5% 우세하다.
6. 각지는 한면에 비하여 5% 우세하다.

자료 5 **지가변동률**(A시 B구, %)

구분		2025년 7월	2025년 8월
주거지역	당월	0.216	미고시
	누계	1.011	미고시
상업지역	당월	0.114	미고시
	누계	0.174	미고시

자료 6 인근지역의 평가선례

구분	평가선례 가	평가선례 나	평가선례 다	평가선례 라
소재지 등	C동 150	C동 250	C동 350	C동 550
지목	대	대	대	대
면적(㎡)	250	400	450	350
용도지역	준주거	준주거	2종일주	준주거
이용상황	상업용	상업용	상업용	상업용
형상	정방형	정방형	세장형	가장형
지세	평지	평지	평지	평지
도로조건	중로각지	세로(가)	소로한면	중로각지
평가목적	시가참조	시가참조	시가참조	시가참조
감정평가액(원/㎡)	6,410,000	4,210,000	4,400,000	6,410,000
기준시점	2023.07.15.	2025.07.09.	2025.07.01.	2025.07.15.

감정평가사 A씨는 아래 토지에 대한 감정평가(시가참조)를 의뢰받았다. 공시지가 기준법에 의하여 아래 토지를 감정평가하시오(기준시점 : 2025년 7월 10일). 10점

자료 1 대상물건의 확정

소재지	지목	면적(㎡)	용도지역	이용상황	개별공시지가(원/㎡)
서울특별시 ○○구 ◎◎동 316-35	대	193.1	준공업	주상용	7,615,000

※ 해당 토지의 개별요인은 지적개황도를 통하여 확정할 것

자료 2 해당 토지의 지적개황도

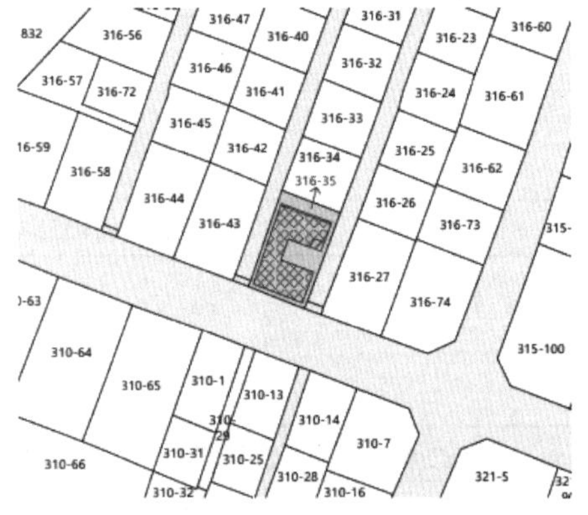

※ 본건 남측의 도로는 노폭이 8m이며, 동측 및 서측의 도로는 노폭 4m의 도로이다.

자료 3 인근지역의 비교표준지 공시지가(공시기준일 : 2025년 1월 1일)

기호	소재지	지목	이용상황	용도지역	도로교통	형상 및 지세	공시지가(원/㎡)
A	◎◎동 100	대	주상용	준공업	세로(가)	부정형 평지	6,950,000
B	◎◎동 200	대	단독주택	준공업	세로(가)	부정형 평지	5,986,000

자료 4 인근지역의 감정평가선례(시가참조) – 그 밖의 요인 비교

기호	소재지	용도지역	이용상황	도로교통	형상 및 지세	기준시점	평가액(원/㎡)
가	◎◎동 300	준주거	주상용	세로(가)	사다리형 평지	2024.12.15	10,500,000
나	◎◎동 400	준공업	주상용	소로한면	사다리형 평지	2024.12.10	11,000,000

자료 5 지가변동률(○○구, 단위 : %)

구분		2024년 12월	2025년 5월	2025년 6월
주거지역	당월	0.347	0.226	미고시
	누계	4.217	2.317	미고시
공업지역	당월	0.428	0.323	미고시
	누계	5.697	3.339	미고시

자료 6 개별요인 평점

도로의 폭 : 중로(100), 소로(95), 세로(90)

각지여부 : 각지(105), 한면(100)

형상 : 가장형(103), 정방형(100), 세장형(97), 사다리형(94), 부정형(92)

자료 7 토지 감정평가액은 반올림하여 유효숫자 3자리까지 표시한다.

QUESTION 03

다음에 제시하는 자료를 이용하여 대상부동산의 가격을 구하시오. 15점

자료 1 대상부동산

1. 토지이용계획확인원 열람

소재지	지번	지목	면적(㎡)	용도지역
A시 B동	50	대	320	일반상업지역

2. 현장실사결과

해당 부지는 8m 포장도로에 접하고 있으며, 사다리형의 평지이다.

해당 토지는 상업용 건물의 신축이 최유효이용으로 판단된다.

자료 2 표준지공시지가의 자료

(공시기준일 : 2025년 1월 1일)

기호	소재지	지목	이용상황	용도지역	도로교통	형상지세	공시지가(원/㎡)
1	A시 B동 100번지	대	주상복합	제2종 일반주거	소로한면	사다리, 평지	1,800,000
2	A시 B동 200번지	대	상업용	일반상업	중로각지	가장형, 평지	2,900,000
3	A시 B동 300번지	대	단독주택	일반상업	소로각지	가장형, 완경사	2,500,000
4	A시 C동 150번지	대	상업나지	일반상업	세로(가)	세장형, 평지	1,000,000

*기호 1은 표준지상건물이 노후화하여 철거 후 이용하는 것이 합당할 것으로 판단되고, 철거 시 예상비용은 3,000,000원이다.

*기호 2는 전체 면적의 20%가 도시계획시설도로에 저촉되고 있다.

*기호 3은 2025.3.1.에 매매가 이루어졌으나 급매로 인해 시장가치보다 10% 저가로 매매되었다.

자료 3 거래사례자료

구분	소재지	유형	용도지역	거래시점	면적/구조	거래가격	도로조건	형상지세
사례1	A시 B동	나지	일반상업	2024. 7.1.	상업용 대 300㎡	480,000,000	소로각지	가장형 완경사
사례2	A시 C동	토지 건물	일반상업	2024. 5.1.	상업용 대 350㎡ 건물 : 철근콘크리트조 슬래브지붕 3층 720㎡	900,000,000	소로한면	가장형 평지
사례3	A시 D동	토지 건물	2종 일반주거	2024. 6.1.	상업용 대 250㎡ 건물 : 목조기와지붕 1층 90㎡	350,000,000	소로한면	사다리형 평지

*사례 1은 친족 간의 거래로 시가보다 다소 저가로 거래됨.

*사례 2는 정상적인 거래로 판단되며 건물준공시점은 2021.5.1. 내용연수는 50년, 준공 당시 건축비는 140,000원/㎡, 경과연수는 만년으로 계산할 것

*사례 3의 건물준공시점은 2023.5.1. 내용연수는 50년, 준공 당시 건축비는 225,000원/㎡이었음.

자료 4 시점수정자료

1. 지가변동률(%)

2024년 5월	2024년 6월	2024년 7월	2024년 8월	2024년 9월	2024년 10월	2024년 11월
0.000	−1.020	−2.120	−1.511	−3.120	−3.214	0.645
2024년 12월	**2025년 1월**	**2025년 2월**	**2025년 3월**	**2025년 4월**	**2025년 5월**	**2025년 6월**
0.800	1.245	0.897	0.254	0.030	0.580	0.880

2. 생산자물가지수

구분	2020.4.	2021.4.	2022.4.	2023.4.	2024.4.	2025.4.
생산자물가지수	108.12	106.20	106.01	101.88	99.32	102.11

자료 5 개별요인 비준표

1. 형상

구분	사다리형	부정형	세장형	가장형
사다리형	1.00	0.90	1.10	1.20
부정형	1.10	1.00	1.20	1.30
세장형	1.10	0.90	1.00	1.20
가장형	0.90	0.70	0.80	1.00

2. 도로조건(각지는 한면에 비하여 10% 우세하다)

구분	중로한면	소로한면	세로(가)
중로한면	1.00	0.83	0.69
소로한면	1.20	1.00	0.83
세로(가)	1.44	1.20	1.00

3. 지세

구분	평지	완경사
평지	1.00	0.70
완경사	1.30	1.00

4. 도시계획시설

구분	일반	도로
일반	1.00	0.70

자료 6 기타자료

1. 같은 동은 인근지역이며, C동은 B동보다 5% 열세함.
2. 건물의 최종잔가율은 10%임.
3. 공시지가기준법 적용 시 그 밖의 요인비교치는 대등한 것으로 본다.
4. 기준시점은 2025.8.1.이다.
5. 모든 개별요인은 상승식으로 비교한다.

감정평가사 甲 씨는 (주)B가 소유한 토지에 대하여 시가참조목적의 감정평가를 의뢰받았다. 아래 토지의 감정평가액을 「감정평가에 관한 규칙」에 따라 감정평가하시오. 20점

※ 해당 토지에 대한 가격조사완료시점은 2025년 8월 19일이다.

자료 1 대상부동산의 현황

기호	소재지	면적(㎡)	지목/구조	용도지역	이용상황	도로접면	형상 및 지세	주변환경
1	S동 371-7	660.2	대	근린상업	상업나지	광대한면	부정형 평지	노선상가지대

자료 2 표준지공시지가(공시기준일 : 2025년 1월 1일)

연번	소재지	면적(㎡)	용도지역	이용상황	도로조건	형상지세	주변환경	공시지가(원/㎡)
A	S동 ◎	500	근린상업	상업용	중로한면	사다리 평지	후면 상가지대	9,870,000
B	S동 ◎	500	근린상업	상업기타	소로한면	세장형 평지	주상 혼재지대	6,640,000
C	S동 ◎	500	근린상업	상업용	광대한면	가장형 평지	노선 상가지대	13,500,000

자료 3 거래사례 목록(합리성에 대한 검토자료)

구분	거래사례 # 1	거래사례 # 2
소재지	S동 ◎◎◎	S동 ◎◎◎
면적(㎡)	682.7	382.7
지목	대	대
용도지역	근린상업	근린상업
이용상황	상업용	상업용
주변환경	노선상가지대	성숙 중인 상가지대
형상 및 지세	세장형, 평지	부정형, 평지

도로조건		광대한면	세로(가)
거래가액		16,000,000,000	300,000,000
거래시점		2024.01.01.	2024.12.01.
거래대상		토지, 건물	토지, 건물
지상 건물의 현황	용도	상업용	상업용
	구조	철근콘크리트조	철근콘크리트조
	연면적(㎡)	1,940.64	890.12
	건축면적(㎡)	480.6	240.6
	사용승인일	2002.12.12.	2011.03.07.

자료 4 **감정평가선례정보**(그 밖의 요인보정자료)

구분	평가선례 가	평가선례 나
소재지	S동 ◎◎◎	S동 ◎◎◎
면적(㎡)	497.8	57.8
지목	대	대
용도지역	근린상업	근린상업
이용상황	상업기타	상업기타
주변환경	노선상가지대	노선상가지대
형상 및 지세	사다리, 평지	정방형, 평지
도로조건	광대한면	광대한면
감정평가목적	시가참조	보상(협의)
평가액(원/㎡)	@22,500,000	@21,485,000(평균단가)
감정평가시점	2024.12.01.	2024.01.01.

자료 5 **기준시점에서의 재조달원가**(원/㎡)

1. 철근콘크리트구조 : @800,000(내용연수 : 50년)
2. 철골구조 : @500,000(내용연수 : 40년)
3. 최종잔가율은 건물의 구조에 관계없이 0%이다.
4. 건축비는 생산자물가지수에 연동하여 건축비 수준이 변동한다.

자료 6 요인비교자료

1. 지가변동률(S시 M구, %)

기간	상업지역	비고
2024.01.01.~2024.12.31.	5.261	2024년 12월 누계
2024.12.01.~2024.12.31.	0.699	2024년 12월 당월
2025.01.01.~2025.06.30.	1.513	2025년 6월 누계
2025.06.01.~2025.06.30.	0.720	2025년 6월 당월

2. 생산자물가지수

2022.12.	2023.01.	2023.12.	2024.01.	2024.12.	2025.01.	2025.06.	2025.07.
117.87	118.55	119.38	119.89	129.40	127.01	127.50	127.62

3. 요인비교치

(1) 도로조건

광대로한면	중로한면	소로한면	세로(가)
110	100	90	80

(2) 형상조건

가장형	정방형	세장형	사다리	부정형	자루형
103	101	100	97	94	90

(3) 각지는 5% 가산한다.

(4) 제시되지 않은 조건은 대등한 것으로 본다.

4. S동 간에는 상호 인근지역이다.

아래 토지에 대한 감정평가(시가참조)를 진행하시오. 15점

※ 해당 토지 감정평가를 위한 가격조사일자는 2025년 6월 25일이다.

자료 1 해당 토지의 개황

1. 소재지 : 서울특별시 K구 N동 100
2. 용도지역 : 일반상업지역
3. 면적 : 206.6㎡
4. 도로교통 : 중로각지, 정방형, 평지
5. 해당 토지는 나지상태이며, 근린생활시설 건부지로 이용될 예정이다.

자료 2 인근지역의 표준지 공시지가(공시기준일 : 2025년 1월 1일)

연번	소재지	용도지역	이용상황	도로교통	형상, 지세	공시지가(원/㎡)
A	N동 200	일반상업	상업용	중로한면	가장형, 평지	11,000,000
B	N동 300	일반상업	상업용	세로(가)	세장형, 평지	7,000,000

자료 3 인근지역의 평가선례 및 거래사례

1. 평가선례 – 그 밖의 요인 검토 자료

연번	평가목적	소재지	용도지역	이용상황	도로교통	형상, 지세	기준시점	평가단가(원/㎡)
가	시가참조	N동 400	일반상업	주상용	소로한면	사다리형 평지	2024.12.01.	13,500,000
나	시가참조	N동 500	일반상업	상업용	중로각지	사다리형 평지	2024.12.01.	17,900,000

2. 거래사례 - 합리성 검토 자료

연번	평가목적	소재지	토지면적(㎡)	용도지역	이용상황	도로교통	형상, 지세	거래시점	거래금액(천원)
다	실거래	N동 600	300	일반상업	상업용	중로한면	부정형, 평지	2024.01.01.	6,000,000
라	실거래	N동 700	300	근린상업	상업용	중로한면	가장형, 평지	2024.01.01.	5,400,000

*거래목록 : 거래사례 다(토지, 건물), 거래사례 라(토지만의 거래)

*거래사례 다 지상의 건물현황

건물의 구조	용도(이용상황)	면적(㎡)	사용승인일	재조달원가	내용연수	최종잔가율
철근 콘크리트조	근린 생활시설	1,500	2005.09.01.	1,100,000	50	0%

자료 4 지가변동률(K구 상업, 단위 : %)

구분	2024년 12월	2025년 5월	2025년 6월
당월	0.219	0.351	미고시
누계	3.699	1.978	미고시

자료 5 개별요인에 대한 평점

도로	중로한면	소로한면	세로(가)
평점	100	70	40

형상	가장형, 정방형	세장형	그 밖의 형상
평점	100	97	94

*각지는 한면에 비하여 5% 우세하다.

자료 6 토지 감정평가액 최종 단가는 반올림하여 유효숫자 3자리까지 표시한다.

감정평가사 李 씨는 다음 내용과 같은 토지에 대한 감정의뢰를 받고 다음과 같은 자료를 수집하였다. 다음 사례를 모두 선정하여 거래사례비교법에 의한 시산가액을 산출하고 비준가액을 결정하시오. 15점

자료 1 감정의뢰 물건의 내용

1. 대상물건 : C시 S구 B동 100번지 소재 800㎡의 대지(업무용 나지)
2. 기준시점 : 2025년 7월 20일

자료 2 매매사례(A)

1. 토지 : C시 S구 B동 110번지 소재 790㎡의 대지
2. 건물 : 위 지상 철근콘크리트조 슬래브지붕 5층 점포 및 사무실 1동, 연면적 2,980㎡
3. 매매가격 : 840,000,000원
4. 매매일자 : 2024년 7월 1일
5. 기타사항 : 인접지 소유자가 자기소유지 건물과 병합 사용하고자 매입 당시 정상시가보다 10% 고가로 매입하였으며, 매매 당시 조사된 토지와 건물의 가격구성비는 4 : 6이었으나, 기준시점 현재 사례부동산의 가격구성비는 3 : 7임.

자료 3 매매사례(B)

1. 토지 : C시 H구 G동 120번지 소재 780㎡의 대지
2. 건물 : 위 지상 철근콘크리트조 슬래브지붕 5층 점포 및 사무실 1동, 연면적 3,370㎡
3. 건물의 준공시점 : 2021년 6월 29일
4. 매매가격 : 900,000,000원
5. 매매일자 : 2025년 2월 12일
6. 본 사례의 건물과 유사한 건물의 기준시점 현재 건물의 신축단가는 200,000원/㎡이며, 공사비의 구성비율과 내용연수는 다음과 같음.

구분	내용연수	공사비 구성비율(%)
골조(건축)공사	50	60
기계설비	20	25
전기설비	10	15

자료 4 지가변동률 및 생산자물가지수

1. 지가변동률(%)

구분	24.7.1.~ 24.12.31.	25.1.	25.2.	25.3.	25.4.	25.5.	25.6.
S구 상업지역 (누계)	5.192	1.300 (1.300)	1.500 (2.820)	1.200 (4.053)	0.600 (4.678)	0.500 (5.201)	0.900 (6.148)
H구 상업지역 (누계)	4.298	1.520 (1.520)	0.225 (1.748)	1.365 (3.137)	1.225 (4.401)	0.076 (4.480)	0.800 (5.316)

2. 생산자물가지수

구분	2021.6.	2022.6.	2024.6.	2025.1.	2025.6.
생산자물가지수	106.00	106.11	108.20	110.02	112.33

자료 5 그 밖의 자료

1. B동 상업용지의 표준적인 획지의 단위면적당 가격은 430,000원/㎡이며, G동은 398,000원/㎡으로 조사되었다.
2. 사례부동산과 대상토지와의 개별요인은 대등함.
3. 건물의 감가수정은 정액법, 만년감가로 계산하되 잔가율은 '0'임.

감정평가사 A 씨는 시가참조목적의 토지의 감정평가를 의뢰받고 아래의 자료를 수집하였다. 아래의 토지를 거래사례비교법을 이용하여 감정평가하시오. 20점

※ 기준시점은 2025년 6월 30일을 기준으로 한다.

자료 1 대상토지의 개요

구분	소재지	면적(㎡)	용도지역	이용상황	지목
토지	경기도 S시 B구 K동 300-1	1,060	보전녹지	상업용 건부지	대

자료 2 인근의 거래사례

구분					
거래사례 1	소재지	경기도 S시 B구 K동 100			
	용도지역	거래시점	건물의 구조	건물의 용도	거래금액
	보전녹지	2024.12.07.	철근콘크리트조	상업용	35억원
	토지면적(㎡)	건물면적(㎡)	사용승인일	그 밖의 사항	
	2,000	600	2001.04.09.	이해관계인(특수관계인) 간의 거래된 사례임.	
거래사례 2	소재지	경기도 S시 B구 K동 200			
	용도지역	거래시점	건물의 구조	건물의 용도	거래금액
	보전녹지	2021.01.01.	철근콘크리트조	상업용	14억원
	토지면적(㎡)	건물면적(㎡)	사용승인일	그 밖의 사항	
	1,500	600	2003.06.05.	사정이 개입되어 10% 고가로 매입됨.	
거래사례 3	소재지	경기도 S시 B구 K동 500			
	용도지역	거래시점	건물의 구조	건물의 용도	거래금액
	보전녹지	2024.12.19.	철근콘크리트조	상업용	40억원
	토지면적(㎡)	건물면적(㎡)	사용승인일	그 밖의 사항	
	2,500	800	2017.07.05.	사정이 개입되어 5% 저가로 거래됨.	

*모든 거래사례에 동일하게 적용할 대금의 지급방법
- 거래대금의 20%는 거래시점에 지급한다.
- 거래대금의 30%는 계약일로부터 2년 후에 지급한다.
- 거래대금의 50%는 계약일로부터 2년 후를 기준으로 하여 5년간 연이자 3.0%로 연간 원리금균등상환조건으로 대금을 지급한다.

자료 3 거래사례와 본건의 개별격차(토지만의 격차)

1. 본건은 거래사례 1 대비 10% 우세하다.
2. 본건은 거래사례 2 대비 5% 열세하다.
3. 본건은 거래사례 3 대비 5% 우세하다.

자료 4 생산자물가지수

구분	2024.11.	2024.12.	2025.01.	2025.02.	2025.03.	2025.04.	2025.05.
지수	123.47	123.97	124.52	124.99	126.10	126.36	126.97

*2025년 6월 지수는 미고시되었음.

자료 5 지가변동률(B구 녹지지역, 단위 : %)

구분	2024년 12월	2025년 05월
당월	0.327	0.419
누계	4.417	2.104

자료 6 그 밖의 사항

1. 건물의 기준시점에서의 재조달원가 : @800,000원(철근콘크리트조 기준)
2. 경제적 내용연수 : 50년
3. 할인율 : 4.0%

아래 대상부동산의 시장가치를 거래사례비교법에 의하여 감정평가하시오. 20점

자료 1 대상부동산

1. C시 S구 A동 100번지, 제2종일반주거지역, 대, 250㎡
2. 기준시점 : 2025년 6월 15일
3. 평가목적 : 일반거래
4. 해당 토지는 8m 도로변에 접하고 있으며, 사다리형이다.

자료 2 인근지역의 거래사례

1. 거래대상 토지 : C시 S구 A동 200, 제2종일반주거지역, 200㎡
2. 거래대상 : 토지만의 거래
3. 거래시점 : 2024년 11월 15일
4. 거래대상의 현황

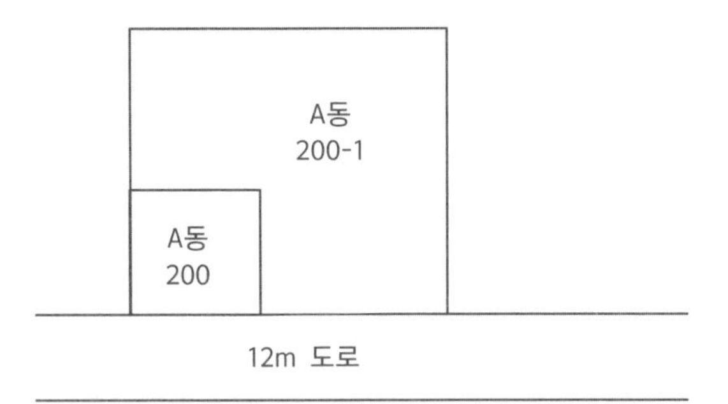

5. 등기사항전부증명서 확인결과 해당 토지의 매수인은 A동 200-1번지의 소유자이며, 현재는 A동 200번지와 A동 200-1번지가 일단의 근린생활시설(상업용) 건물이 신축 중에 있다(전체 토지면적은 1,100㎡이다).
6. 종전의 A동 200번지 지상에 있는 건물은 노후하여 철거대상이었으며, 거래 당시의 예상되는 철거비는 30,000,000원으로서 A동 200번지 소유자(매도인)가 부담하였다.

7. 매매계약서를 검토한 결과 거래대금 중 계약금(20%)는 거래 즉시 지급하였으며, 거래대금 중 일부(80%)는 일단의 건물의 신축 후 분양대금을 통하여 지급하는 것으로 확인되었으며, 신축 및 분양에 소요되는 시점은 거래시점으로부터 2년 후이다.
8. 거래금액 : 1,500,000,000원
9. 거래사례의 각 필지별 평점은 아래와 같으며, 가치에 대한 기여도는 구입비 한도액 방식에 따라 배분된 금액으로 거래된 것을 가정한다.

구분	A동 200	A동 200-1	A동 200외 일단지 (A동 200-1 포함)
평점	100	70	90

자료 3 개별요인 비교평점

1. 가로조건

구분	중로한면	소로한면	세로(가)
평점	1.00	0.90	0.80

2. 형상조건

구분	정방형	가장형	사다리형
평점	1.00	1.02	0.97

자료 4 지가변동률(%)

2024년 11월	2024년 12월	2025년 5월 누계	2025년 5월 당월
0.437	0.327	2.512	0.511

자료 5 할인율 : 연 4.0%

감정평가사인 당신은 의뢰인 李 씨로부터 다음과 같은 부동산의 평가를 의뢰받아 관련 자료를 징구하였다. 제시된 자료를 근거로 대상부동산의 가격을 평가하시오. 15점

자료 1 대상부동산

1. 대상물건 : B시 CH군 MY면 A리 100번지, 대, 200㎡
2. 용도지역 : 계획관리지역
3. 가격조사 완료일 : 2025년 8월 20일
4. 평가목적 : 시가참조
5. 이용상황 : 주거나지

자료 2 거래사례

인근지역에 소재하는 계획관리지역 내의 지목 대(주거나지)인 면적 200㎡의 토지로, 360,000,000원에 매매되었으며, 거래일은 2024년 12월 20일이다.

자료 3 인근의 표준지공시지가

기호	소재지	지목	이용상황	용도지역	도로교통	공시지가(원/㎡)	
						2024년	2025년
1	A리 110	대	단독주택	농림	소로한면	920,000	950,000
2	A리 120	전	주거나지	계획관리	세로(가)	1,200,000	1,220,000

자료 4 B시 지가변동률(%)

구분	용도지역		이용상황별	
	주거지역	계획관리지역	전	주거용
2024년 12월	0.205	0.036	0.032	0.098
2024년 누계	2.011	1.068	1.001	3.225
2025년 6월 누계	1.115	0.223	−1.332	2.158
2025년 6월	−1.223	1.114	−1.500	2.070

자료 5 개별요인 비교치

구분	대상토지	표준지 1	표준지 2	거래사례	평가선례
도로상태	소로한면	중로한면	세로(가)	소로한면	세로(불)
시가지와의 거리	1km	1.5km	0.5km	2km	0.3km
형상	장방형	사다리형	부정형	부정형	사다리형
지세	평지	완경사	완경사	평지	평지
도시계획시설	–	도로저촉(20%)	–	–	–

1. 별도의 제시가 없는 조건이나 항목은 대등한 것으로 보되, 우세한 요소가 있는 경우에는 2% 가산, 열세한 요소가 있는 경우에는 2% 감가를 하여 개별요인 비교치를 결정하도록 함.
2. 토지의 개별요인 비교 시 용도지대의 조건별로 비교하되, 조건 간에는 상승식을 적용하고 항목이나 세항목 간에는 총화식을 적용함.

자료 6 그 밖의 요인보정치 관련 자료(인근지역의 평가선례)

소재지	용도지역	이용상황	기준시점	평가목적	평가액 (원/㎡)
A리 102	계획관리지역	주거용	2024.1.1.	시가참조	1,890,000

감정평가사 A 씨는 토지에 대한 시가참조용 감정평가를 의뢰받고 예비조사와 실지조사를 통하여 다음의 자료를 수집하였다. 주어진 자료를 활용하여 대상토지의 가격을 구하시오. 15점

자료 1 대상부동산

1. 소재지 : A시 B구 C동 100번지
2. 지목 및 면적 : 대, 600㎡
3. 용도지역 : 일반상업지역
4. 이용상황 및 주변환경 : 본건은 점포이며, 인근의 간선도로인 K로 후면에 소재하고 있다. 본건 인근은 점포, 숙박시설 등이 혼재하고 있는 지역이다.
5. 형상, 지세, 도로조건 : 정방형, 평지, 소로한면

자료 2 표준지공시지가 자료(2025년 1월 1일)

(단위 : 원/㎡)

기호	소재지	면적(㎡)	지목	이용상황	용도지역	주변환경	도로교통	형상지세	공시지가
1	A시 B구 C동	600	대	주상용	일반상업	후면 상업지대	소로한면	정방형 평지	3,000,000
2	A시 B구 C동	1,000	대	상업용	일반상업 2종일주	후면 상업지대	중로한면	장방형 평지	2,900,000
3	A시 B구 C동	500	대	상업용	일반상업	후면 상업지대	소로각지	정방형 평지	3,800,000
4	A시 B구 C동	1,500	대	상업용	일반상업	노선 상가지대	광대한면	정방형 평지	8,000,000

*표준지 기호 1은 도시계획시설도로에 30%가 저촉되고 있다.
*표준지 기호 2의 용도지역별 비율은 일반상업 50%, 2종일주 50%이다.
*표준지 기호 3은 지하에 지하철이 통과하고 있으며, 이는 도시계획시설철도로 지정되어 있다. 본 토지의 약 20%가 도시계획시설에 저촉되고 있다.

자료 3 후면상가지대의 거래사례자료

1. 거래사례 #1
   (1) 물건 내용
      1) 소재지 : A시 B구 C동 98번지
      2) 지목, 면적 : 대, 580㎡
      3) 용도지역, 이용상황 : 일반상업지역, 상업용
      4) 형상, 지세, 도로조건 : 정방형, 평지, 소로한면
   (2) 거래가격 : 2,300,000,000원
   (3) 거래시점 : 2025년 4월 1일
   (4) 노후된 건물로 인해 최유효이용에 미달하여 매입 직후 철거되었다. 계약 당시 매수인은 건물의 잔재가치를 20,000,000원, 철거비를 50,000,000원으로 예상하고 매입하였다. 거래사례는 도시계획시설도로에 30%가 저촉되어 있다.

2. 거래사례 #2
   (1) 물건 내용
      1) 소재지 : A시 B구 C동 99번지
      2) 지목, 면적 : 대, 600㎡
      3) 용도지역, 이용상황 : 일반상업지역, 상업용
      4) 형상, 지세, 도로조건 : 장방형, 평지, 소로한면
   (2) 거래가격 : 550,000,000원
   (3) 거래시점 : 2024년 11월 1일
   (4) 기타사항 : 거래사례는 나대지에 대한 거래사례로서 인근토지의 소유자가 개발을 위한 합필목적으로 매입하였으며, 거래 시까지 상당한 기간이 소요된 것으로 탐문되었다.

3. 거래사례 #3
   (1) 물건 내용
      1) 소재지 : A시 B구 D동 11번지
      2) 지목, 면적 : 대, 620㎡
      3) 용도지역, 이용상황 : 일반상업지역, 상업용
      4) 형상, 지세, 도로조건 : 장방형, 평지, 세로(가)
   (2) 거래가격 : 2,450,000,000원
   (3) 거래시점 : 2025년 5월 1일
   (4) 기타사항 : 토지만 거래된 사례임.

자료 4 A시 B구 지가변동률(%)

구분	25.1.	25.2.	25.3.	25.4.	25.5.	25.6.	25.7.
상업지역 (누계)	1.300 (1.300)	1.500 (2.820)	1.200 (4.053)	0.600 (4.678)	0.500 (5.201)	0.900 (6.148)	0.300 (6.466)
주거지역 (누계)	1.000 (1.000)	1.200 (2.212)	0.700 (2.927)	0.800 (3.751)	0.900 (4.685)	0.300 (4.999)	0.400 (5.419)

자료 5 요인비교자료

1. 지역요인

A시 B구 C동은 모두 인근지역이며, C동 외 지역은 지역 간의 비교가 불가능하다.

2. 개별요인

(1) 도로조건

광대로한면	중로한면	소로한면	세로(가)	맹지
105	100	95	90	80

*각지는 한면에 비해 5% 우세

(2) 기타 개별요인 평점(행정적 조건 제외)

비교표준지	거래사례 #1	거래사례 #2	거래사례 #3	평가선례	대상
100	98	105	99	93	90

(3) 도시계획시설

구분	일반	철도	도로
일반	1.00	0.85	0.85

자료 6 그 밖의 요인산정자료(평가선례)

소재지	기준시점	지목 (이용상황)	면적	용도지역	단가 (원/㎡)	평가목적	비고
C동 120	2025.6.25.	대 (상업용)	580㎡	일반상업	3,880,000	시가참조	소로한면

자료 7 기타자료

1. 가격조사기간은 2025.8.22.~2025.9.2.이다.
2. 그 밖의 요인보정치 산정 시 비교표준지 기준방식을 사용하도록 한다.

감정평가사 A 씨는 ◎◎청으로부터 아래 토지에 대한 시가참조목적의 감정평가를 의뢰받고 아래의 자료를 수집하였다. 제시된 자료를 활용하여 해당 토지에 대한 감정평가액을 결정하시오. 20점

※ 기준시점 : 2025년 9월 10일

자료 1 평가대상토지의 정보

소재지	지목	용도지역	토지면적(㎡)	해당 연도의 개별공시지가(원/㎡)	위 지상의 건물현황
S구 B동 93-6	대	제3종일반주거지역	377.1	11,640,000	근린생활시설

*해당 토지는 서측의 12m 도로 및 남측의 6m 도로에 각각 접하고 있다.
*해당 토지의 지적현황

자료 2 표준지공시지가 현황(2025년 1월 1일 기준)

구분	소재지	면적(㎡)	지목	용도지역	이용상황	도로접면	형상	공시지가(원/㎡)
A	B동 90	300	대	3종일주	주상용	소로한면	가장형	10,200,000
B	B동 100	300	대	3종일주	상업용	중로한면	가장형	13,200,000

*표준지는 인근지역에 위치하고 있음.

자료 3 인근의 평가선례 현황(그 밖의 요인 관련 자료)

구분	소재지	면적(㎡)	용도지역	이용상황	도로조건	형상	평가액(원/㎡)	평가목적	평가시점
가	B동 110	400	2종일주	상업용	중로한면	부정형	16,000,000	일반시가	2024.12.15.
나	B동 120	300	3종일주	상업용	소로한면	부정형	21,000,000	일반시가	2024.12.10.

자료 4 인근의 거래사례 현황(합리성 검토 자료)

구분	소재지	면적(㎡)	용도지역	이용상황	도로조건	형상	거래금액(천원)	거래시점	거래물건
다	B동 130외	450	3종일주	상업용	중로한면	가장형	12,000,000	2025.01.01.	토지, 건물
라	B동 140	200	3종일주	상업용	중로한면	부정형	5,800,000	2025.01.01.	토지만 거래

*거래사례 "다"의 매매금액 중 30%는 2년 후에 지급하기로 하였다(할인율 : 연 5.0%).

*거래사례 "다" 지상의 건물현황

- 소재지 : B동 130외(관련지번 : B동 130-1)
- 건물의 현황 : 철근콘크리트조, 근린생활시설, 지하 1층 지상 5층건, 1,100㎡
- 사용승인일 : 2000.07.01.(경제적 내용연수 : 50년)
- 재조달원가 : 거래시점 @950,000, 기준시점 @1,000,000

*거래사례 "라"는 인접지번 소유자에 의하여 매입되었으며, 인접지번 소유자는 해당 필지를 포함하여 일단의 건축허가를 진행 중에 있어 이에 대한 사정이 반영된 가액으로 거래되었다.

자료 5 지가변동률(S구, 단위 : %)

구분	2024년 12월		2025년 7월	
	당월	누계	당월	누계
주거지역	0.278	3.698	0.325	1.986
상업지역	0.213	3.309	0.299	1.784

*2025년 8월 지가변동률은 미고시된 상태임.

자료 6 개별요인 평점

1. 가로의 상태 : 중로(100), 소로(95), 세로(85)
2. 형상 : 가장형(100), 정방형(98), 세장형(96), 부정형(92)
3. 각지여부 : 각지(105), 한면(100)

감정평가사 甲 씨는 토지소유자인 K씨로부터 아래의 토지에 대한 시가참조용 감정평가를 의뢰받고 사전조사와 실지조사를 통하여 아래의 자료를 수집하였다. 감정평가관계 법규 및 관련 평가지침에 따라 대상토지가격을 평가하시오. 20점

자료 1 대상토지

1. 소재지 등 : M시 K동 13-1번지, 대, 750㎡
2. 용도지역 및 이용상황 : 제2종일반주거지역, 주거용
3. 대상토지는 현재 지상에 다가구주택이 소재하고 있으며 8m 도로에 접하고 있다. 금번 감정평가의 대상은 토지에 국한함.
4. 대상이 속하고 있는 인근지역의 주거지대는 도로의 폭에 따라 가격수준이 형성되는 경향을 보이고 있다.

자료 2 표준지공시지가의 자료(공시기준일 : 2025년 1월 1일)

일련번호	소재지	용도지역	이용상황	주변환경	도로조건	형상지세	공시지가(원/㎡)
A	M시 K동 100	2종일주	주상용	후면 상가지대	소로 한면	정방형 평지	2,200,000
B	M시 K동 200	2종일주	주거용	기존 주택지대	세로 한면	자루형 평지	900,000
C	M시 K동 300	2종일주	주거용	기존 주택지대	소로 한면	가장형 평지	1,100,000

자료 3 거래사례

1. 사례 1
   (1) 토지 : M시 L동 25번지, 대(다가구주택), 340㎡
   (2) 용도지역 등 : 제2종일반주거지역, 세로(가)
   (3) 거래금액 : 470,000,000원
   (4) 거래시점 : 2024년 12월 1일
   (5) 거래내역 : 본건 토지와 유사지역에 소재하고 있으며, 사례는 대상토지에 비해 도로조건, 형상 등 개별요인이 10% 우세하다.

(6) 기타사항 : 사례부동산은 지분별 소유하고 있으며, 상기 거래는 총 지분의 2/3를 거래한 사례이다.

2. 사례 2
   (1) 토지 : M시 K동 326번지, 대, 240㎡
   (2) 건물 : 벽돌조슬래브지붕 1층, 다가구주택 건물, 연면적 160㎡, 신축년도 2019.7.25.
   (3) 용도지역 등 : 제2종일반주거지역, 소로한면
   (4) 거래내역 : 인근지역에 위치하고 있으며, 2025년 5월 17일에 467,000,000원에 거래되었으며, 5% 고가로 거래됨.

자료 4 택지개발자료

1. 본건 토지 중 일부 매입 관련 자료
   (1) 토지 : M시 K동 25번지, 대, 270㎡
   (2) 용도지역 등 : 제2종일반주거지역, 세로(가), 단독주택(매입 당시)
   (3) 거래금액 : 200,000,000원
   (4) 거래내역 : 2023.10.1. 건축업자가 매입한 일단의 토지 중 하나이다. 본 거래는 당시의 한정된 매매로 인하여 정상적인 가격보다 10% 고가로 매매되었으며, 현재는 K동 13-1번지로 합필되었다.

2. 평가대상대지 중 종전의 K동 25번지(합필 전) 270㎡는 상기와 같이 신규로 매입한 토지이며, 종전의 K동 13-1번지(합필 전) 480㎡는 개발 전부터 보유한 토지이다.

3. 기존건물 철거비 및 토지조성 공사비 : 250,000원/㎡(토지면적당)

4. 부대비용 : 조성공사비의 10%

5. 공사비용의 지급 : 조성공사비 및 부대비용은 공사착수시점 20%, 착수 5개월 후 40%, 공사완료시점 40%를 지급함.

6. 개발사업의 이윤은 공사비 및 부대비용에 포함된 것으로 함.

7. 토지조성 공사기간 : 2024.2.1.~2024.12.1.

8. 기타
   상기의 모든 비용은 토지에 투하되거나 화체된 비용으로서 사업자가 제시한 내용에 따라 배분한 것이다.

자료 5 건물 관련 자료(벽돌조슬래브)

1. 표준적 건축비(2025년 7월 1일) : 800,000원/㎡
2. 내용연수는 35년이며, 재조달원가 산정 시 비교요인은 동일함.
3. 감가수정은 정액법에 의하며 만년감가로 함.

자료 6 인근지역의 평가선례

일련번호	소재지	평가목적	토지평가액 (원/㎡)	비고	개별요인	기준시점
평가선례 가	M시 K동 101	시가참조용	2,900,000	표준지 A에 적용	표준지에 비하여 30% 우세	2024.8.5.
평가선례 나	M시 K동 201	시가참조용	1,100,000	표준지 B에 적용	표준지에 비하여 30% 열세	2024.12.1.
평가선례 다	M시 K동 301	시가참조용	1,470,000	표준지 C에 적용	표준지에 비하여 5% 열세	2025.5.1.

자료 7 지역요인 비교치

M시 K동 내 주거지대는 모두 인근지역으로 판단되며, M시 L동은 동일수급권 내 유사지역이다.

자료 8 토지 개별요인자료

1. 도로조건

대로	중로	소로	세로(가)	세로(불)
104	100	97	93	90

*각지는 3% 우세함.

2. 도로조건을 제외한 개별요인 평점

본건 (13-1번지)	표준지 A	표준지 B	표준지 C	거래사례 # 1	거래사례 # 2	합필 전 25	합필 전 13-1
98	130	80	105	110	100	85	105

3. 건물의 개별요인
   대상, 사례, 표준적 건축사례 모두 동일하다.

자료 9 기타자료

1. 지가변동률(M시 주거지역, %)

2023.10.	2023.11.	2023.12.	2024.7.	2024.8.	2024.12.	2025.5.
0.125 (1.174)	0.162 (1.338)	0.251 (1.592)	0.115 (1.011)	0.092 (1.104)	0.062 (2.067)	−0.046 (0.411)

2. 생산자물가지수
   2025년 생산자물가지수는 보합세를 유지하고 있다.
3. 투하자본수익률 : 월 0.5%
4. 기준시점 : 2025.7.1.
5. 그 밖의 요인보정치 산정 시 비교표준지 기준방식을 적용하도록 함.

QUESTION 13

감정평가사 A 씨는 (주)T로이터로부터 경기도 P시에 소재하는 공장에 대한 시가참조용 감정평가를 의뢰받고 사전조사 및 현장조사를 실시하여 아래의 자료를 수집하였다. 감정평가 관련법령에 근거하여 아래 부동산의 시장가치를 평가하시오. 25점

자료 1 대상물건의 개요

경기도 P시 O면 J리									
	기호	지번	면적(㎡)	지목	이용상황	용도지역	도로교통	형상 및 지세	2025년 개별공시지가(원/㎡)
토지	1	20-26	3,244	장	공업용	계획관리	소로각지	부정형 평지	349,000
	2	20-29	1,480	장		계획관리			349,000
	3	7-44	576/1,152	도로	도로	계획관리	-	부정형 평지	115,000

경기도 P시 O면 J리 20-26 외						
	기호	용도	구조	연면적(㎡)	사용승인일자	
건물	가	창고(공장)	일반철골구조	1,874	2020.8.31.	
			건폐율(%)	용적률(%)	층수	관련지번
			39.67	39.67	지상 1층	J리 20-29

자료 2 표준지공시지가(공시기준일 : 2025년 1월 1일)

구분	소재지 지번	지목	면적(㎡)	이용상황	용도지역	도로교통	형상지세	공시지가(원/㎡)
A	J리 444-1	장	2,584.0 (일단지)	공업용	계획관리	소로한면	부정형 평지	350,000
B	J리 444-15	답	740.0	답	계획관리	맹지	부정형 평지	128,000
C	J리 371	대	605.0	단독주택	계획관리	세로(가)	부정형 평지	136,000
D	C리 11-18	장	1,663.0 (일단지)	공업기타	계획관리	세로(가)	부정형 평지	140,000

자료 3 평가선례자료(그 밖의 요인보정 산정치 자료)

구분	소재지 지번	지목	면적 (㎡)	기준시점	평가단가 (원/㎡)	개별지가 (원/㎡)	평가 목적	용도 지역	이용 상황	비고
1	J리 20-80 외	장	4,700 (일단지)	2022.03.10.	506,000	338,000	시가 참조	계획 관리	공업용	소로각지 부정형 평지
2	J리 7-46	장	4,010	2024.04.04.	550,000	367,000	시가 참조	계획 관리	공업용	세로(가) 부정형 평지
3	K리 20-48	장	325	2023.10.15.	390,000	299,000	시가 참조	계획 관리	공업 나지	세로(가) 부정형 평지
4	J리 400-6	대	2,637.67	2022.06.21.	300,000	169,000	시가 참조	계획 관리	주거 기타	소로한면 부정형 평지

자료 4 거래사례자료(출처 : 등기사항전부증명서 등)

구분	소재지 지번	지목	면적 (㎡)	거래 일자	목적	용도 지역	이용 상황	토지특성
거래사례 1	J리 7-45	장	2,210	2024.03.27.	일반매매	계획 관리	공업용	중로한면 부정형 평지
			• 거래가액 : 2,000,000,000원 • 지상건물의 현황 : 철골조, 공장, 1,296㎡ • 사용승인일 : 2018.6.25. • 표준건축비 대비 5% 우세한 건물이다.					
거래사례 2	J리 7-52	장	79	2024.03.22.	일반매매	계획 관리	공업용	소로한면 부정형 평지
			• 거래가액 : 72,000,000원(토지단가 911,000원/㎡) • 토지만의 거래사례임. • 인접지 소유자가 본인 토지와의 합필을 위하여 구입한 사례이다.					
거래사례 3	J리 78-14	대	431	2024.05.24.	일반매매	계획 관리	주거용	세로(가) 부정형 평지
			• 거래가액 : 72,000,000원(토지단가 603,000원/㎡) • 토지만의 거래사례임.					

자료 5 건물의 신축단가 등

구분(철골조 철골지붕, 공장)		적용단가(원/㎡)
기본건축비 단가(원/㎡)	1층(공장)	420,000
보정설비 단가(원/㎡)	1층(공장)	30,000
내용연수		40년
최종잔가율		0%

자료 6 비교요인치

1. 도로조건

구분	중로한면	소로한면	세로(가)	세로(불)	맹지
중로한면	1.00	0.94	0.91	0.85	0.80
소로한면	1.04	1.00	0.94	0.90	0.85
세로(가)	1.09	1.05	1.00	0.95	0.90
세로(불)	1.15	1.10	1.04	1.00	0.95
맹지	1.20	1.15	1.09	1.04	1.00

*각지는 5% 가산함.

2. 형상조건

구분	정방형	가장형	세장형	부정형
정방형	1.00	0.98	0.96	0.94
가장형	1.02	1.00	0.98	0.96
세장형	1.04	1.02	1.00	0.98
부정형	1.06	1.04	1.02	1.00

3. 도로, 형상조건 이외 개별요인 평점

본건	표준지 A	표준지 B	표준지 C	표준지 D	평가선례 1
100	95	70	80	85	100

평가선례 2	평가선례 3	평가선례 4	거래사례 1	거래사례 2	거래사례 3
105	85	75	110	120	85

자료 7 지가변동률(경기도 P시 계획관리지역)

1. 2025년 7월 지가변동률

당월	0.334%
누계	0.979%

2. 기타 지가변동률

2022.03.10.~2024.12.31.	3.971%
2022.06.21.~2024.12.31.	3.711%
2023.10.15.~2024.12.31.	2.784%
2024.03.22.~2024.12.31.	0.890%
2024.03.27.~2024.12.31.	0.887%
2024.04.04.~2024.12.31.	0.872%
2024.05.24.~2024.12.31.	0.647%

자료 8 그 밖의 사항

1. 의뢰인과의 감정평가 용역계약서상 현황이 도로인 부분에 대해서는 평가 외 할 것으로 약정하였다.
2. 경기도 P시 O면 J리는 인근지역이며, "리"단위가 다르면 유사지역으로 분류된다.
3. 기준시점은 2025년 9월 1일이다.
4. 인근의 지가수준

용도지역	토지용도	가격수준(원/㎡)	비고
계획관리	공업용	550,000~600,000 내외	소로각지

아래 토지 및 건물에 대한 감정평가액을 평가하시오(기준시점 : 2024년 6월 20일). 15점

자료 1 평가대상 개요

구분	소재지	지목/구조	면적(㎡)	용도지역/용도	도로, 형상 사용승인일
토지	K시 A동 100	대	330	개발제한 자연녹지	세로(가) 부정형
건물	위 지상	목조	150	근린생활시설	2003.07.05.

*본건은 개발제한구역 내 집단취락지구에 소재하고 있음
*본건은 가전집기류 판매점으로 이용 중에 있음

자료 2 인근의 표준지 공시지가(공시기준일 : 2025년 1월 1일)

연번	소재지	면적(㎡)	용도지역	이용상황	도로,형상	공시지가(원/㎡)
A	A동 200	330	개발제한 자연녹지	상업용	소로한면 가장형	1,420,000
B	A동 300	330	개발제한 자연녹지	단독주택	세로(가) 부정형	780,000
C	A동 400	990	자연녹지	상업용	세로(가) 부정형	1,975,000

*표준지 A, B는 집단취락지구가 아님

자료 3 지가변동률(K시)

구분		2024년 12월	2025년 4월	2025년 5월
상업	당월	0.329	0.369	미고시
	누계	4.579	1.594	미고시
녹지	당월	0.287	0.355	미고시
	누계	3.958	1.323	미고시

자료 4 인근지역의 시장자료

구분	소재지	토지면적 (㎡)	건물면적 (㎡)	용도지역	토지 특성	기준시점 거래시점	토지단가 거래가
평가 선례 1	A동 500	330	170	개발제한 자연녹지	세로(가) 부정형	2024.12.05.	@2,300,000
평가 선례 2	A동 600	330	120	개발제한 자연녹지	세로(가) 세장형	2024.12.01.	@1,150,000
거래 사례 ㉠	A동 700	300	–	개발제한 자연녹지	세로(가) 부정형	2025.01.01.	480,000천원
거래 사례 ㉡	A동 800	300	–	자연녹지	세로(가) 세장형	2024.12.19.	750,000천원

*평가선례 #1은 지목이 대지로서, 지상 건물의 용도는 근린생활시설로 열람되며, 실제 이용상황도 음식점으로 이용 중에 있다. 집단취락지구에 위치한다.

*평가선례 #2는 지목이 전으로서, 지상의 건물의 용도는 동식물관련시설로 되어 있으며, 실제 이용상황은 가구 판매점이다. 집단취락지구 외에 위치한다.

*거래사례 #㉠, ㉡은 지목이 대지로서, 지상의 건물은 존재하지 않는다. 거래사례 ㉠은 집단취락지구 외에 위치한다.

*평가선례는 그 밖의 요인 비교에, 거래사례는 합리성 검토의 자료로 활용하도록 한다.

자료 5 개별요인 비교자료

1. 도로조건 : 소로한면 (100), 세로(가)(95), 세로(불)(90)
2. 형상조건 : 가장형(100), 정방형(99), 세장형(97), 사다리형(95), 부정형(94)
3. 개발제한구역 내 건축물 여부에 따른 가격 차이는 30%인 것으로 조사되었다.
4. 개발제한구역 내 집단취락지구로 인한 가치 차이는 10%인 것으로 조사되었다.

자료 6 그 밖의 자료

1. 해당 건물의 재조달원가는 ㎡당 1,300,000원이며, 경제적 내용연수는 45년이다.
2. 토지 및 건물 단가는 반올림하여 유효숫자 3자리까지 표시한다.

감정평가사 A 씨는 토지에 대한 감정평가를 의뢰받고 예비조사와 실지조사를 통하여 다음의 자료를 수집하였다. 주어진 자료를 활용하여 대상토지의 시장가치를 구하시오. 15점

자료 1 대상부동산

1. 소재지 : A시 B구 C동 100번지
2. 지목 및 면적 : 대, 600㎡
3. 용도지역 : 일반상업지역
4. 이용상황 : 상업용
5. 형상, 지세, 도로조건 : 정방형, 평지, 소로한면

자료 2 인근의 표준지공시지가 자료(2025년 1월 1일)

(단위 : 원/㎡)

기호	소재지	면적(㎡)	지목	이용상황	용도지역	도로교통	형상지세	공시지가
1	A시 B구 C동	600	대	주거용	일반상업	소로한면	정방형 평지	3,000,000
2	A시 B구 C동	1,000	대	상업용	제2종 일반주거	중로한면	장방형 평지	2,900,000
3	A시 B구 C동	500	대	상업용	일반상업	소로각지	정방형 평지	2,800,000

*기호 3은 지상 위 광고탑을 위한 지상권 계약을 설정하였으며, 지상권으로 인해 해당 부동산의 매매가격은 상당히 낮아질 것으로 보인다.

자료 3 평가선례자료(그 밖의 요인보정치 산정자료)

기호	소재지 지번	용도 지역	지목 (이용상황)	면적 (㎡)	기준시점	평가단가 (원/㎡)	평가 목적	비고
A	A시 B구 C동 98	일반 상업	대 (상업용)	580	2025.04.01.	4,000,000	시가 참조	소로한면 정방형 평지

자료 4 거래사례자료

1. 거래사례 #1
   (1) 물건 내용
      1) 소재지 : A시 B구 C동 99번지
      2) 지목, 면적 : 대, 600㎡
      3) 용도지역, 이용상황 : 일반상업지역, 상업용
      4) 형상, 지세, 도로조건 : 장방형, 평지, 소로한면
   (2) 거래가격 : 550,000,000원
   (3) 거래시점 : 2024년 11월 1일
   (4) 기타사항 : 거래 당시 약 10여년 경과한 상업용 건물이 있었으나 매수인의 사정에 의하여 철거되고 신축 건물을 거래시점 이후에 준공하였다.

2. 거래사례 #2
   (1) 물건 내용
      1) 소재지 : A시 B구 C동 120번지
      2) 지목, 면적 : 대, 610㎡
      3) 용도지역, 이용상황 : 일반상업지역, 상업용
      4) 형상, 지세, 도로조건 : 정방형, 평지, 소로각지
   (2) 거래가격 : 토지 및 건물 포함하여 4,000,000,000원에 거래되었으며, 거래 당시 건물가격은 1,500,000,000원임.
   (3) 거래시점 : 2025년 2월 1일

3. 거래사례 #3
   (1) 물건 내용
      1) 소재지 : A시 B구 C동 5번지
      2) 지목, 면적 : 대(주거나지), 3.6㎡
      3) 용도지역, 이용상황 : 제2종일반주거지역, 주거용
      4) 형상, 지세, 도로조건 : 부정형, 평지, 소로한면
   (2) 거래가격 : 12,500,000원
   (3) 거래시점 : 2025년 3월 1일

자료 5 시점수정자료

1. 지가변동률(%)

구분	2025.1.	2025.2.	2025.3.	2025.4.	2025.5.	2025.6.	2025.7.
상업지역 (누계)	1.300 (1.300)	1.500 (2.820)	1.200 (4.053)	0.600 (4.678)	0.500 (5.201)	0.900 (6.148)	0.300 (6.466)
주거지역 (누계)	1.000 (1.000)	1.200 (2.212)	0.700 (2.927)	0.800 (3.751)	0.900 (4.685)	0.300 (4.999)	0.400 (5.419)

2. 생산자물가지수
   생산자물가지수는 2024년도 이후 보합세이다.

자료 6 요인비교자료

1. 지역요인
   A시 B구 C동은 모두 인근지역으로 본다.

2. 개별요인
   (1) 도로조건

광대로한면	중로한면	소로한면	세로(가)	맹지
105	100	95	90	80

*각지는 한면에 비해 5% 우세함.

(2) 도로조건 외 개별요인

비교표준지	평가선례	거래사례 #1	거래사례 #2	거래사례 #3	대상
100	99	105	99	98	90

자료 7 기타자료

1. 가격조사기간은 2025.8.22.~2025.9.2.이다.
2. 지가변동률은 백분율로서 소수점 이하 셋째 자리까지 반올림하여 표시한다.

감정평가사 A 씨는 경기도 K시 소재 K저수지 북서측 인근에 위치하는 토지에 대한 인천지방법원의 경매목적의 감정평가를 의뢰받고 아래의 자료를 수집하였다. 아래의 감정평가 관련 자료를 분석하고 관련법령 및 규칙에 따라 시장가치를 평가하시오. 감정평가사 A 씨는 2025년 7월 22일에 가격조사를 완료하였다. 35점

자료 1 평가대상물건 등

1. 평가대상 요약

기호	소재지	지번	면적(㎡)	지목	이용상황	용도지역
1	경기도 K시 W면 K리	238-5	4,951	임야	주거나지	계획관리지역 농림지역
2	경기도 K시 W면 K리	245-5	6,444	임야	전	농림지역

2. 현장조사결과

(1) 기호 1의 경우 건물의 신축이 신고된 토지로서 토지는 종전의 완경사지를 평탄하게 조성완료한 상태이며, 착공된 상태로 일부 건물은 건축 중이다. 토지는 대체로 부정형이고 세로(가)이다. 건축신고사항은 아래와 같다.

> • 대지위치 : 경기도 K시 W면 K리 238-5
> • 대지면적(㎡) : 4,951
> • 건축면적(㎡) : 827.26
> • 건축연면적(㎡) : 868.4
> • 주용도 : 단독주택 8개 동
> • 구조 : 철근콘크리트조

(2) 기호 1의 경우 지적도면에 의하여 개략적으로 산출한 결과 농림지역이 1,827㎡, 계획관리지역이 3,124㎡의 면적이다.

(3) 기호 2는 현재 전으로 이용 중이며, 기호 1 소유자가 경작 중이다. 토지는 세로(불), 부정형, 평지이다.

자료 2 **표준지공시지가 현황**(공시기준일 : 2025년 1월 1일)

1. 경기도 K시 W면 K리 소재 표준지(인근지역)

연번	지번	지목	이용상황	용도지역	도로교통	형상/지세	공시지가(원/㎡)
A	100	전	전	농림지역	맹지	사다리/평지	52,000
B	200	답	단독주택	계획관리	세로(가)	부정형/완경사	158,000
C	300	전	전	계획관리	세로(불)	정방형/평지	75,000
D	400	임	자연림	계획관리	맹지	부정형/완경사	19,000
E	500	임	자연림	농림지역	맹지	부정형/완경사	5,200

*기호 C는 도시계획시설(도로)에 30% 저촉되어 있다.

2. I광역시 S구 H동 소재 표준지(유사지역)

연번	지번	지목	이용상황	용도지역	도로교통	형상/지세	공시지가(원/㎡)
F	600	대	단독주택	농림지역	세로(불)	자루형/평지	121,000
G	700	대	단독주택	계획관리	세로(가)	부정형/평지	215,000
H	800	전	전	농림지역	맹지	사다리/완경사	65,000
I	900	임	자연림	계획관리	맹지	부정형/완경사	21,000
J	1,000	임	자연림	농림지역	맹지	부정형/완경사	6,100

*기호 F는 도시계획시설(도로)에 20% 저촉되어 있다.

자료 3 **평가선례 및 매매사례 현황**

1. 경기도 K시 W면 K리 소재 거래사례 등

기호	이용상황	면적(㎡)	용도지역	거래가액 (평가금액)	거래시점 (기준시점)	구분	개별특성
1	단독주택	870	계획관리	238,000,000	2024.01.01.	매매	세로(불) 부정형/평지
2	전	1,170	계획관리	175,500,000	2024.12.01.	매매	맹지 부정형/평지
3	답	1,273	농림지역	@108,500	2024.01.01.	경매	맹지 사다리/평지
4	자연림	10,000	계획관리	@30,000	2025.01.01.	경매	맹지 사다리/완경사
5	자연림	10,000	농림지역	@10,000	2025.01.01.	경매	맹지 사다리/완경사

2. I광역시 S구 H동 소재 거래사례 등

기호	이용 상황	면적(㎡)	용도지역	거래가액 (평가금액)	거래시점 (기준시점)	구분	개별특성
6	단독주택	1,000	계획관리	@300,000	2025.01.01.	경매	소로한면 세장형/평지
7	단독주택	840	농림지역	@186,000	2024.12.01.	경매	세로(불) 가장형/평지
8	전	2,500	계획관리	500,000,000	2024.12.01.	매매	세로(가) 부정형/평지
9	답	2,000	농림지역	250,000,000	2025.01.01.	매매	세로(가) 부정형/평지
10	자연림	10,000	계획관리	@33,000	2024.12.01.	경매	맹지 사다리/완경사

3. 상기 자료 중 거래가액은 전체 거래가에서 지상건물이 있는 경우 건물가액이 적절하게 배분된 단가이다.

자료 4 기타사항

1. 감정평가 시 「감정평가에 관한 규칙」 제12조에 의한 합리성 검토는 생략하도록 한다.

2. 지가변동률

구분			농림	계획관리	임야	전
경기도 K시	2024년 12월	당월	0.137	0.331	0.121	0.310
		누계	3.106	2.811	1.379	2.697
	2025년 5월	당월	0.280	0.076	0.077	0.097
		누계	1.629	2.080	2.097	1.097
I광역시 S구	2024년 12월	당월	0.216	0.113	0.326	0.216
		누계	2.220	1.979	1.379	1.667
	2025년 5월	당월	0.126	0.323	0.129	0.264
		누계	1.392	1.110	0.997	0.637

3. K시 단독주택의 표준적 획지의 가격은 150,000원/㎡이며, I광역시 S구 단독주택 표준적 획지의 가격은 180,000원/㎡이다.

4. 개별특성에 따른 평점

(1) 가로상태

소로각지	소로한면	세각(가)	세로(가)	세로(불)	맹지
95	90	85	80	75	70

(2) 형상

가장형	정방형	세장형	사다리형	자루형	부정형
96	94	92	90	87	85

(3) 지세

평지	완경사
100	95

(4) 도시계획시설(도로)

일반	도로
1.00	0.85

감정평가사 이 씨는 아래 토지에 대한 시가참조목적의 감정평가를 의뢰받고 사전조사 및 실지조사를 통하여 아래의 자료를 수집하였다. 각 토지의 감정평가액을 결정하시오. 20점

※ 기준시점 본건의 경우 도시계획시설도로에 저촉된 부분과 미저촉된 부분의 가액을 각각 산정한 후 합산하여 총액을 결정한다.

※ 기준시점평가의 기준시점 : 2025년 7월 1일

자료 1 평가대상의 현황

1. 소재지 : A시 B동 100번지, 500㎡
2. 공법상 제한 : 제2종일반주거지역, 도로(저촉)
3. 지목 및 이용상황 : 대지, 주상용
4. 도로에 저촉된 면적의 비율은 전체 토지의 30%이다.

자료 2 지적도면

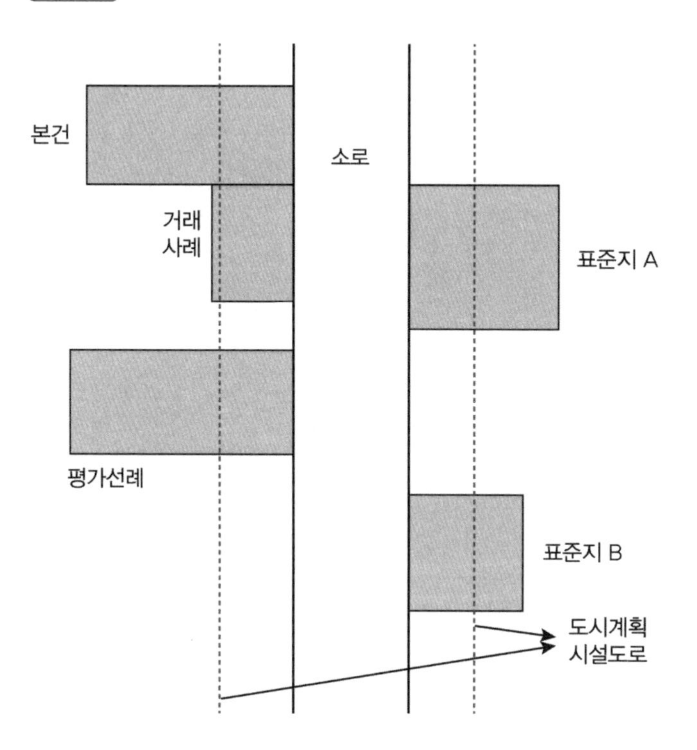

자료 3 표준지공시지가의 현황(2025년 1월 1일)

연번	소재지	면적(㎡)	지목	이용상황	용도지역	도로조건	형상 및 지세	공시지가(원/㎡)	기타제한
A	B동 105	500	대	주상용	2종일주	소로한면	가장형 평지	3,000,000	도로 40%
B	B동 125	250	대	주상용	3종일주	소로한면	정방형 평지	3,800,000	도로 50%

자료 4 시가참조 평가선례(그 밖의 요인보정을 위한 자료)

소재지	면적(㎡)	지목	용도지역	평가시점	이용상황	도로조건	형상 및 지세	평가단가(원/㎡)
B동 103	600	대	2종일주	2024.12.01.	주상용	소로한면	세장형 평지	4,750,000

*해당 평가선례의 20%는 도시계획시설도로에 저촉되어 있으며, 저촉이 감안되어 평가된 평가단가이다.

자료 5 거래사례 현황(합리성 검토를 위한 자료)

소재지	면적(㎡)	지목	용도지역	이용상황	도로조건	형상 및 지세	평가목적
B동 101	220	대	2종일주	주상용	소로한면	가장형 평지	실거래가

*거래사례 건물은 100% 도로에 저촉되어 있으며, 토지는 99% 이상이 도로에 저촉되어 있다.
*세부 거래내역
- 거래금액 : 1,312,000,000원
- 거래시점 : 2024.11.15.
- 지상 건물의 현황 : 철근콘크리트조 주상용 건물 450㎡, 2000.12.01. 준공
- 지상 건물의 재조달원가는 ㎡당 @800,000원(도시계획시설 제한이 반영되었음)이며, 경제적 내용연수는 50년임.

자료 6 개별요인 비교자료

1. 행정적 조건을 제외한 개별요인 평점

본건	거래사례	평가선례	표준지 A	표준지 B
100	110	90	105	120

2. 도시계획시설

일반	도로
1.00	0.85

자료 7 지가변동률(A시 주거지역)

- 2024년 11월 당월 : 0.242%
- 2024년 12월 당월 : 0.315%
- 2025년 5월 당월 : 0.234%
- 2025년 5월 누계 : 1.954%(해당 연도 누계)

*2025년 6월 지수는 미고시되었음.

감정평가사 A는 아래 토지에 대한 감정평가를 의뢰받았다. 2025년 6월 20일을 기준시점으로 하여 감정평가하시오. 20점

※ 공법상 제한으로 인하여 구분하여 평가할 필요가 있는 부분은 구분평가(도시계획시설 저촉부분과 미저촉부분)할 것

자료 1 본건 토지

1. 소재지 : 서울특별시 S구 A동 100
2. 면적 : 500㎡
3. 지목 : 대
4. 공법상 제한 : 제1종일반주거지역, 도로(저촉)
5. 현장조사사항 : 본건은 단독주택부지로 이용 중에 있으며(평가대상은 토지에 국한됨), 도시계획시설도로(50㎡)에 저촉된 부분은 정원 등으로 이용 중인 부분이다. 본건은 6m도로에 접하고 있으며, 부정형의 평지이다.

자료 2 인근지역의 표준지 공시지가(공시기준일 : 2025.01.01.)

구분	소재지	지목	용도지역	이용상황	도로교통	형상 및 지세	공시지가(원/㎡)
A	A동 200	대	1종일주	단독주택	세로(가)	세장형 평지	2,800,000
B	A동 300	임야	1종일주	자연림	세로(가)	부정형 완경사	300,000

*표준지 기호 A는 도시계획시설도로에 20% 저촉된 토지이다.
*표준지 기호 B는 도시계획시설공원에 100% 저촉된 토지이다.

자료 3 지가변동률(S구 주거지역)

구분	2024년 12월	2025년 4월	2025년 5월
누계	4.107	1.553	미고시
당월	0.332	0.418	미고시

자료 4 인근지역의 거래사례(그 밖의 요인 산출 자료)

구분	소재지	지목	용도지역	이용상황	거래시점	거래가격
가	A동 400	대	1종일주	단독주택	2024.12.01	1,400,000,000
나	A동 500	임야	1종일주	자연림	2024.01.01	700,000,000

*거래사례 #가 세부현황
- 토지 300㎡, 위 지상 건물 200㎡, 철근콘크리트조(내용연수 50년), 사용승인일 1999.07.16. 재조달원가 900,000원/㎡, 소로한면, 부정형, 평지이다.
- 해당 토지 중 10%는 도시계획시설도로에 저촉되어 있음.

*거래사례 #나 세부현황
- 토지 2,000㎡, 해당 토지는 도시계획시설공원에 100% 저촉되어 있음. 세로(불), 부정형, 완경사이다.

자료 5 개별요인 비교 자료

도로조건		형상		경사		도시계획시설	
소로한면	100	가장형	100	평지	100	일반	1.00
세로(가)	95	세장형	98	완경사	95	도로	0.85
세로(불)	90	부정형	96	저지	90	공원	0.60

자료 6

1. 토지는 공시지가 기준법에 의하여 평가하며, 합리성 검토는 생략한다.
2. 토지단가(원/㎡)는 반올림하여 유효숫자 3자리까지 표시하되, 저촉된 부분의 단가(원/㎡)는 별도로 반올림하지 않고 표시한다.

QUESTION 19

본건(토지)에 대한 감정평가액을 결정하시오. 15점

자료 1 대상토지의 현황

1 평가대상
(1) 경기도 평택시 오성면 죽리 20-26, 장, 3,244㎡
(2) 경기도 평택시 오성면 죽리 20-29, 장, 1,480㎡
2. 용도지역 등 : 계획관리지역, 세로(가), 사다리형, 평지
3. 본 토지 중 남서측 1,200㎡는 도시계획시설도로에 저촉되어 있다.
4. 위 지상의 건물 : 경기도 평택시 오성면 죽리 20-26외, 공장(3,500㎡), (관련지번 : 죽리 20-29)

자료 2 인근지역의 표준지공시지가(2025년 1월 1일)

구분	소재지 지번	지목	면적 (㎡)	이용 상황	용도 지역	도로 교통	형상 지세	공시지가 (원/㎡)	기타 제한
A	죽리 ○○○	장	일단지 2,584.0	공업용	계획관리	소로한면	부정형 평지	350,000	도로 20%
B	죽리 ○○○	대	1,579	상업용	계획관리	소로한면	세장형 평지	470,000	-

자료 3 개별요인 평점

1. 가로조건 : 광대한면(1.00), 중로한면(0.90), 소로한면(0.80), 세로(가)(0.70)
2. 형상 : 가장형(1.00), 정방형(0.98), 세장형(0.96), 사다리형(0.95), 부정형(0.94)
3. 도시계획시설 : 일반(1.00), 도로(0.85)

자료 4 평가선례(평가목적 : 시가참조)

구분	소재지 지번	지목	면적 (㎡)	기준 시점	평가단가 (원/㎡)	개별지가 (원/㎡)	용도 지역	이용 상황	비고
1	죽리 20-80외	장	4,700 (일단지)	2025. 05.01.	506,000	338,000	계획 관리	공업용	중로한면 부정형 평지

자료 5 기타자료

1. 지가변동률(2025년 5월)

당월	0.334%
누계	0.979%

2. 그 밖의 요인비교치는 비교표준지를 기준하며, 합리성 검토는 생략한다.

3. 기준시점은 2025년 6월 15일이다.

감정평가사 A 씨는 (주)S로부터 경기도 I시 S면 S리 소재 "S마을" 남동 측에 위치하는 부동산에 대한 시장가치 참조 목적의 감정평가를 의뢰받고 아래의 자료를 수집하였다. 각 물음에 답하시오. 20점

- **문제 1** 본 감정평가의 기준시점을 결정하시오.
- **문제 2** 본 감정평가의 평가대상을 확정하고 평가방법을 결정하시오.
- **문제 3** 감정평가액을 결정하시오.

자료 1 감정평가의 대상

소재지	경기도 I시 S면 S리 447, 448				
토지	이용상황	용도지역	형상	면적(㎡)	비고
	잡종지	계획관리	부정형	29,167	건축허가득 토목공사완성단계
건물	이용상황	구조		연면적(㎡)	사용승인일
	주택 및 축사	블록조 슬레이트지붕 세멘트벽돌조 슬래브지붕		569	1996.06.25.

※ 토지의 세목

소재지	지번	지목	용도지역	면적	비고
경기도 I시 S면 S리	447	답	계획관리	14,089	허가득
경기도 I시 S면 S리	448	답	계획관리	15,078	허가득

자료 2 감정평가 일정 관련 내용

1. 감정평가 의뢰서 접수일 : 2025년 3월 17일
2. 감정평가 조사일

   감정평가사 A씨는 본 물건에 대한 사전조사를 2025년 3월 19일에 마치고 2025년 3월 25일에 현장조사를 하여 자료를 수집하고 2025년 3월 26일에 감정평가서를 작성하였다. 그러나 현장조사의 미비점을 확인하여 2025년 4월 4일에 현장을 재조사하였으며, 2025년 4월 6일에 감정평가서를 다시 작성하였다.

3. 감정평가서 발송기한

감정평가서의 발송기한은 2025년 4월 8일이며, 평가서는 2025년 4월 7일에 발송되었다(수수료입금 완료).

자료 3 현장조사내용

1. 본건 토지는 지상의 공장 신축을 목적으로 건축허가(허가번호 : 2025-건축과-신축허가-91)를 득하고 토목공사가 거의 완료단계에 이르렀으며 건물착공을 준비 중이며, 지상에 임시사용승인을 받은 건축물 1개동이 소재한다.

2. 건축허가내역

(1) 허가일자 : 2025년 2월 23일

(2) 대지면적 : 29,167㎡

(3) 건축면적(건폐율) : 2,481.94㎡(8.53%)

(4) 연면적(용적률) : 2,669.86㎡(9.18%)

(5) 주용도 : 공장(제조시설)

자료 4 시점 관련 자료

1. I시 지가변동률(%)

(1) 2025년 지가변동률

기간	지가변동률			비고
	계획관리	장	전	
2025.01.01.~2025.02.29.	0.259	0.301	0.297	2월까지의 누계
2025.02.01.~2025.02.29.	0.130	0.079	0.220	2월 지가변동률

(2) 2024년 지가변동률

시기(始期)	종기(終期)	지가변동률		
		계획관리	장	전
2022.10.18.	2024.12.31.	2.978	3.011	3.296
2023.02.12.	2024.12.31.	1.679	1.981	1.897
2024.03.19.	2024.12.31.	1.332	1.009	1.570
2024.11.13.	2024.12.31.	0.320	0.210	0.339
2024.11.16.	2024.12.31.	0.461	0.207	0.336

2. 생산자물가지수

2022.10.	2023.01.	2024.02.	2024.10.	2024.11.	2025.01.	2025.02.	2025.03.
102.90	107.04	114.97	120.47	121.19	123.09	123.28	미고시

자료 5 인근의 2025년 비교표준지공시지가

일련번호	소재지	면적(㎡)	지목 / 이용상황	용도지역 / 도로교통	지리적 위치	공시지가 (원/㎡)	기타
41500-****(A)	S리 428	9,348	장 / 공업용	계획관리 / 세로(가)	U마을 남측인근	115,000	도로 20%
41500-****(B)	S리 383	1,094	창 / 주거기타	계획관리 / 세로(가)	S마을 서측인근	81,000	-
41500-****(C)	S리 210	5,490	전 / 전	계획관리 / 세로(가)	U초등학교 남측인근	57,000	-

자료 6 평가선례 및 거래사례

1. 인근지역의 평가선례

기호	소재지	지목	면적 (㎡)	용도지역 이용상황	토지감정평가액 (천원)	토지단가(원/㎡)	평가목적 기준시점
a	S리 409-1	장	6,293	계획관리 공업용	1,157,912	183,000	일반거래 2024.03.19.
b	S리 65-1	장	5,584	계획관리 공업용	871,104	156,000	담보 2023.02.12.
c	S리 434-1	전	5,071	계획관리 전	456,390	90,000	일반거래 2024.03.19.
d	S리 433-9	잡	215 / 7,910	계획관리 공업기타	1,170,680	148,000	보상(협의) 2023.11.13.
e	S리 436-7	창	21,451	보전관리 공업기타	2,145,100	100,000	일반거래 2022.10.18.

2. 인근지역의 거래사례

소재지	토지 / 건물	면적(㎡)	용도지역 / 이용상황	거래금액(원)	거래시점 / 사용승인일
S리 67-1외	임야	19,497	계획관리	2,300,000,000	2024.11.16.
	-	-	토지임야(이행지)		-
	매도인이 건축허가를 득한 후 형질변경 중이던 토지를 매수하여 공장으로 활용하고자 매수하였음.				

*본건은 거래사례에 비하여 조성정도 고려 시 성숙도에서 10% 우세하다.

자료 7 개별요인 비교자료

1. 대상/비교표준지(거래사례)

일련번호	비교대상	가로조건	접근조건	환경조건	획지조건	행정적 조건	기타조건
기호 1,2	표 A	1.00	0.96	1.00	별도 산정	별도 산정	1.00
	표 B	1.00	1.10	1.00			1.00
	표 C	1.00	1.00	1.00			1.00
	거래사례	1.00	1.10	1.10			1.00

2. 비교표준지/평가선례

비교대상	가로조건	접근조건	환경조건	획지조건	행정적 조건	기타조건
선례 a	1.05	1.10	1.00	별도 산정	별도 산정	1.00
선례 b	0.90	0.95	1.00			1.00
선례 c	0.80	0.90	1.00			1.00
선례 d	0.95	0.90	0.98			1.00
선례 e	0.95	0.85	0.95			1.00

*현황이 착공 후 이행 중인 경우 완성된 공장에 비하여 20% 감가요인이 존재한다.
*인근에서 농지가 공장허가를 득한 경우 그렇지 않은 경우에 비하여 20% 정도 고가로 매매되고 있다.

※ 행정적 조건자료(도시계획시설 도로)

구분	일반	도로
일반	1.00	0.85

자료 8 기타자료

1. 대상토지는 도시계획시설도로에 저촉되는 부분이 없음.
2. 의뢰인은 지상의 건물은 철거예정으로서 평가대상에서 제외해 줄 것을 요청하였으며, 본 감정평가 시 의뢰인의 요청을 수용하도록 결정함.

다음 자료를 이용하여 2025년 2월 23일 당시 조성 토지를 감정평가하시오. 10점

1. 소재지 : 충북 진천군 덕산면 C리 100번지, 대, 500㎡, 계획관리지역
2. 조성 전 토지매입가격 : 700,000원/㎡
3. 조성공사비 : 150,000,000원
4. 공사비 지급조건 : 2회에 걸쳐 다음과 같이 균등 지급함.
   ① 2024년 1월 1일 : 75,000,000원
   ② 2024년 7월 1일 : 75,000,000원
5. 수급인의 이윤 : 조성공사비의 10%(공사준공 시 발생)
6. 시점
   ① 조성 전 토지매입시점 : 2023년 8월 1일
   ② 공사착공시점 : 2024년 1월 1일
   ③ 공사준공시점 : 2025년 1월 1일
7. 기타사항
   ① 본 토지는 구입 당시 田인 토지를 현 소유자가 대지로 조성한 사례로, 2025년 1월 1일 지목이 "대"로 변경되었다(토지대장 확인).
   ② 형질변경으로 인한 법적인 하자는 없는 것으로 판단된다.
   ③ 금리(투하자본수익률)는 연 6%(월 0.5%)로 하며, 매입한 토지는 토지매입시점부터 사업비의 지출로 본다.
8. 지가변동률(%)
   ① 주거지역

2023년 누계	2024년 누계	2025년 1월	2025년 2월
1.651	2.249	1.121	미고시

   ② 계획관리지역

2023년 누계	2024년 누계	2025년 1월	2025년 2월
2.192	3.991	0.674	미고시

아래 토지를 조성원가법에 의하여 평가하시오. 20점
※ 기준시점 : 2025년 7월 15일

자료 1 대상토지의 개요

1. 소재지 : 경기도 A군 B면 C리 100-1

2. 토지대장 열람내역

지목	면적	사유	변동일자	주소
전	2,000㎡	-	-	-

3. 용도지역 : 계획관리지역

4. 건축허가서

허가번호	용도	대지면적(㎡)	건축면적(㎡)	연면적(㎡)
2025-종합민원실-건축허가-114	공장	1,800	700	1,100

5. 현장조사결과
   (1) 현장조사시점 해당 토지는 공장용지로 조성이 완성된 상태로서 건물의 건축을 준비하고 있다. 허가제외지의 경우 해당 토지로 진입하는 도로 등으로 A군에 기부채납하는 것으로 약정되어 있다.
   (2) 토지는 매입과 동시에 착공하였으며, 토지에 귀속하는 비용은 착공 시 30%, 토지조성완료 시 70%가 소요되는 것으로 본다.
   (3) 토지는 2025년 5월 31일에 조성이 완료되었다.

자료 2 해당 토지의 구입 등 자료

1. 해당 토지의 등기사항전부증명서

【갑구】 (소유권에 관한 사항)				
순위번호	등기목적	접수	등기원인	권리자 및 기타사항
4	소유권이전	2024년 9월 1일 제◎◎◎호	2024년 5월 31일 매매	소유자 김◎◎ 매매금액 500,000,000원

2. 총사업비 투입내역

<table>
<tr><th colspan="3">항목</th><th>금액(단위 : 원)</th></tr>
<tr><td rowspan="3">토지귀속</td><td rowspan="3">토지비 및 관련비용</td><td>토지매입비</td><td>500,000,000</td></tr>
<tr><td>토지정지비 등</td><td>200,000,000</td></tr>
<tr><td>지질조사 및 측량비</td><td>5,000,000</td></tr>
<tr><td rowspan="2">건물귀속</td><td>공사비</td><td>건축공사비</td><td>800,000,000</td></tr>
<tr><td>외주용역비</td><td>설계, 감리비 등</td><td>4,000,000</td></tr>
<tr><td rowspan="5">공통귀속</td><td rowspan="2">외주용역비</td><td>화재보험료</td><td>10,000,000</td></tr>
<tr><td>분담금 등</td><td>20,000,000</td></tr>
<tr><td rowspan="2">기타경비</td><td>등기비</td><td>5,000,000</td></tr>
<tr><td>법률 등 용역비</td><td>4,000,000</td></tr>
<tr><td colspan="2">금융비용</td><td>200,000,000</td></tr>
<tr><td colspan="3">소계</td><td>1,748,000,000</td></tr>
</table>

자료 3 시장자료

1. 토지의 매입비는 인근 시가수준 대비 적정한 것으로 본다.
2. 제시받은 조성공사비 내역은 인근의 유사한 조성사례와 비교하였을 때 적정한 수준으로 본다.
3. 해당 사업과 유사한 사업의 투하자본에 대한 이자율은 연 4.0%를 적용한다.
4. 지가변동률(A군, 계획관리)

기간	지가변동률(%)	비고
2025.06.01.~2025.07.15.	0.378%	2025년 5월 변동률 연장 추정

자료 4 기타자료

제시된 투입내역 중 토지부분에 화체되는 비용만 토지가액으로 인정하되, 공통귀속분은 토지, 건물의 가격구성비(총사업비 투입내역 상)로 배분할 것

감정평가사 '甲' 씨는 아래의 토지가격을 평가하기 위하여 사전조사 및 실지조사를 통하여 아래의 자료를 수집하였다. 제시된 자료를 이용하여 평가대상의 특징에 따른 평가방법을 선정하고, 이에 따른 대상토지의 시장가치를 구하시오. 10점

자료 1 대상토지의 개요

1. 소재지 : J시 H구 W동 48번지(제2종전용주거지역)
2. 규모 : 400㎡/획지(LOT), 고급주택부지
3. 토지특성 : 정방형, 평지, 남향, 소로한면
4. 기준시점 : 2025년 1월 17일

자료 2 주변상황

1. 대상토지는 ○○○쓰레기 매립장이었던 땅(60,000㎡)을 정화작업 완료 후 매립한 후 택지로 조성 및 분양한 토지이다.
2. 주변토지 역시 매립지로서 대상지와 동일한 크기로 분양되고 있으며, 120개의 획지가 분양될 예정이다(총 48,000㎡).
3. 토지조성 완료시점 : 2025년 1월 1일

자료 3 가격자료 수집상황

1. 표준지공시지가
   2025년도 표준지공시지가는 미공시된 상태이며 2024년도에는 대상토지가 조성공사에 한창이던 때로써 대상의 인근지역의 표준적 이용에 해당하는 표준지 선정이 이루어지지 않은 상태였다.
2. 거래사례
   최근에 조성이 완료되어 아직 성립된 거래는 없는 실정이다.
3. 방매가격
   근처 공인중개사 사무소에서 근무하는 A씨는 현재 토지소유자들은 ㎡당 1,500,000원에 매물을 내놓고 있으나 거래실적은 상당기간 없었다고 하였다.

자료 4 조성 관련 자료

1. 조성 전 토지구입가격 : 30,000,000,000원(2024.7.1.)
2. 토지구입 후 바로 착공하였으며, 대상토지의 구입 후 총 면적의 20%를 도로, 공원 등으로 조성하여 기부채납하였고 나머지 면적은 조성 후 균등분할하여 현재 택지 분양 중에 있다.
3. 소요비용
   (1) 공공시설 조성비용 : 15,000,000,000원
   (2) 토지매립비용 : 10,000,000,000원
   (3) 토지구획 및 조성비용(단위 유효택지 면적당 : 200,000원/㎡)
4. 지급조건
   (1) 토지의 구입가격은 구입 시 전액 지불함.
   (2) 매립비용은 착공시점에서 30%, 2개월 후 30%, 나머지는 조성완료시점에서 지불함.
   (3) 공공시설 조성비용은 착공시점, 구획 및 조성비용은 완공시점에서 전액 지급함.

자료 5 투하자본이자율 등

1. 투하자본이자율 : 월 0.5%
2. H구 주거지역 지가변동률 : 2025년 1월 0.540%

감정평가사 柳 씨는 토지의 감정평가의뢰를 받고, 예비조사 및 실지조사를 한 후 다음과 같이 자료를 수집하였다. 주어진 자료에 근거하여 개발법에 의한 토지가격을 산정하시오. 20점

자료 1 평가대상토지의 자료

1. 대상물건

소재지	지번	지목	면적(㎡)	용도지역	기준시점
J시 S면 D리	100	임야	6,000	제2종일반주거지역	2025.8.30.

2. 대상토지의 현장조사 내용 : 대상토지는 도심지로부터 10km 떨어진 시 외곽지대의 택지개발이 가능한 남향 완경사지로서 적정하게 밭으로 개간하여 사용 중이며 세로에 접하고 있음.

3. 대상토지를 택지로 조성하여 분양할 계획이다.

자료 2 지가변동률(%, J시 주거지역)

2025.1.	2025.2.	2025.3.	2025.4.	2025.5.	2025.6.
1.021	0.157	0.687	1.066	2.011	0.332

자료 3 개별요인 비교자료

1. 이용상황

이용상태	대	전	답	임야
평점	100	60	55	20

2. 경사방향

경사방향	평지	남향	동향	서향	북향
평점	100	100	90	80	70

3. 도로

도로	대로	중로	소로	세로(농로 포함)
평점	120	100	90	80

4. 도심지에서 1km씩 멀어질 때마다 지가는 2%씩 단순 감소함.

자료 4 인근지역의 분양사례

1. 거래시점 : 2025년 3월 19일
2. 거래가격 : 12,000,000원
3. 면적 : 300㎡
4. 기타 : 대상토지보다 도심지에 3km 더 떨어진 제2종일반주거지역 내의 동향, 소로에 접하는 토지를 평탄하게 택지를 조성하여 분양하였음.

자료 5 대상토지의 택지조성자료

1. 허가조건 및 공사비 산정자료
   (1) 획지로 분할하기 위한 도로면적 : 750㎡
   (2) 토지형질변경 시 공공용지로 기부채납할 토지면적 : 500㎡
   (3) 단지설계비용 : 1,000원/㎡
   (4) 측량 및 분할비용 : 200,000원/필지
   (5) 토목공사비용 : 10,000원/㎡
   (6) 기타비용 : 5,000원/㎡
2. 획지분할의 기준 및 분양예상가격 산정자료
   (1) 1개 획지의 최소면적은 100㎡ 이상이어야 함.
   (2) 1개 획지의 면적이 300㎡를 초과하거나 미달한 경우의 획지는 정상분양가격(원/㎡)의 20%를 할인하여 분양가격으로 함.
   (3) 1필지는 300㎡로 함.
   (4) 조성 후 도로는 소로에 접하게 된다.

아래 토지에 대한 개발법에 따른 토지가치를 결정하시오. 10점
※ 기준시점 : 2025년 6월 1일

자료 1 대상토지의 개요

1. 토지대장 : 경기도 용인시 처인구 A동 100번지

지목	면적	사유	변동일자	주소
(08) 대	600㎡	–	–	–

2. 대상은 정방형 토지로서 대상이 속해 있는 인근지역은 등고 평탄한 지대로서, 최근 상업용 임대수요의 상승으로 상가 및 업무용 건물이 들어서고 있는 지역이다.

자료 2 대상토지의 개발계획

1. 개발계획

건물구조 및 층수	철근콘크리트조 슬래브 지붕, 지하 1층, 지상 5층 건물 1개동
대지면적	600㎡
연면적	총 연면적 1,000㎡
이용상황	업무용
공사기간	기준시점 이후 1년 준공

*건폐율 및 용적률은 최유효이용상태임.

2. 신축 업무용 부동산의 표준적 분양가 수준
   인근의 평균적인 분양가는 ㎡당 4,200,000원 수준이며, 1년 후에 100% 분양완료 후 전액 일시납부를 가정함

3. 공사비는 건물의 연면적(㎡)당 1,100,000원이 소요되며, 착공 시 40%, 준공 시 60%가 소요됨.

4. 기타 공사비는 공사비의 20%가 소요되며, 공사비와 같이 소요됨.

5. 적정이윤은 공사비와 기타 공사비 합계의 30%이며, 준공시점에 인식함.

자료 3 할인율은 연 4.5%를 기준한다.

QUESTION 26

감정평가사인 柳 씨는 대상부동산에 대한 평가를 의뢰받고 사전조사 및 실지조사를 완료하였다. 주어진 다음 자료를 활용하여 건물의 감정평가액을 결정하시오. 10점

자료 1 감정평가의 대상물건

1. 토지 : 서울특별시 관악구 B동 251번지, 대, 300㎡
2. 건물 : 위 지상 철근콘크리트조 슬래브지붕 2층 건물 연면적 420㎡
3. 도시계획사항 : 제2종일반주거지역
4. 이용상황 및 도로교통 : 주거용 건부지, 소로한면
5. 감정평가 목적 : 시가참조
6. 구하는 가격 : 시장가치
7. 기준시점 : 2025년 8월 11일
8. 대상건물의 건축 당시 도급공사비는 200,000,000원(VAT 제외)으로 조사되었다.

자료 2 평가대상건물에 관한 자료

구분	대상건물	건설사례
준공일자	2023.8.2.	2025.2.10.
구조	철근콘크리트조 슬래브지붕 2층 건물	철근콘크리트조 슬래브지붕 2층 건물
이용상황	주거용	주거용
부지면적(㎡)	300	320
건축연면적(㎡)	420	450
시공정도	보통	보통
기준시점 현재의 경제적 잔존연수	48년	50년
설비의 양부	양호	양호
건물과 부지의 관계	최유효이용	최유효이용
건물 개별요인	95	100
준공시 건축비(원/㎡)	–	510,000

*건설사례의 건축비는 지역 내 수급상황이 고려된 표준적인 건축비이다.
*최종잔가율은 공히 0%이다.
*감가수정은 만년감가이며, 감가수정방법은 정액법을 사용함.

자료 3 생산자물가지수

2023.7.	2024.7.	2025.1.	2025.7.
100.22	105.79	109.24	112.30

㈜S건설은 서울특별시 관악구 A동 100번지 준주거지역에 소재하는 대지에 상가를 신축하여 분양코자 대상토지를 매입하였다. 대상은 서측으로 하천에 접한 노폭 3m의 포장도로와 동측으로 노폭 3m 도로에 접하고 있는 400㎡의 정방형 토지로, 인근지역은 성숙 중인 택지개발지구이며, K 씨는 향후 성숙도를 예상하고 400,000,000원에 매매계약을 체결하였다. 그러나 이후 전체 건물연면적 사정에 오류가 있는 것이 발견되었다. 이하 다음의 자료를 활용하여 (물음 1) 대상토지의 감정평가액을 산정하며, (물음 2) 이를 기초로 본건 매입가의 타당성을 판단하시오. **20점**

자료 1 대상토지의 상황

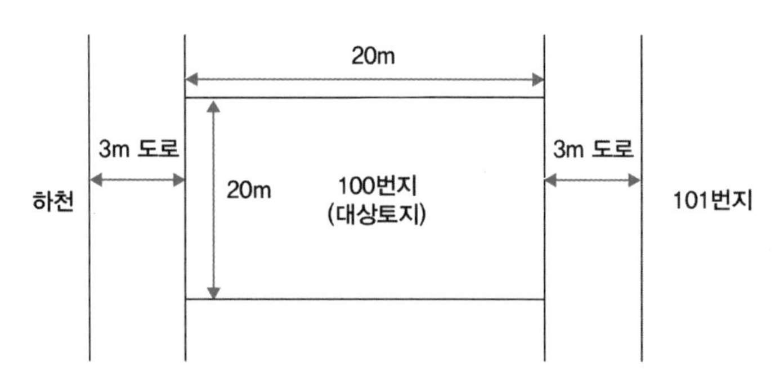

※도로후퇴는 서측(좌측)에서 1m, 우측에서 0.5m씩 각각 후퇴하는 것으로 본다.
(해당 부분은 대지면적에서 제외된다.)

자료 2 설계내역

1. 구조 : 철근콘크리트조 슬래브지붕 지하 1층, 지상 7층
2. 허용 건폐율 및 용적률 : 50%, 350%(허용치의 최대치로 건축하는 것을 가정하며, 각 층별 바닥면적은 동일하다.)
3. 지하실 면적 : 245㎡(기계실 및 주차장으로 이용된다.)

자료 3 공사스케줄(착공 후 9개월에 준공)

1. 공사비 지불
   (1) 착공 3개월 후 공사비의 25%
   (2) 착공 6개월 후 공사비의 25%
   (3) 준공 시 공사비 잔액지불

2. 판매 및 일반관리비
   (1) 착공 6개월 후 총액의 50%
   (2) 준공 시 잔액지불

3. 분양수입
   (1) 착공 6개월 후 총액의 50%
   (2) 준공 시 잔액수수

자료 4 분양계획

층별	분양가격(원/분양㎡)	층별 효용비
지상 1층	1,500,000	100
지상 2층	–	50
지상 3층~7층	–	각 40

※지상 1층의 분양가격을 기준으로 층별 효용비로 배분할 예정임

자료 5 기타자료

1. 공사비는 592,000,000원이 소요될 것으로 추정됨.
2. 판매 및 일반관리비는 총 분양수입의 10%로 추정됨.
3. 투자수익률은 월 0.4%임.

감정평가사 A 씨는는 아래의 건물을 감정평가(시가참고)하고 있다. 제시된 자료를 활용하여 원가법에 의한 건물의 감정평가액을 산출하시오(가격조사완료일 : 2025년 7월 10일). 15점

자료 1 건축물대장

1. 건물개황

대지위치	K구 D동 913		
대지면적	300㎡	연면적	1,000㎡
건축면적	180㎡	용적률산정용연면적	910㎡
허가일자	1997.06.05.	사용승인일자	1998.06.25.

2. 각 층별 현황

층구분	구조	용도	면적(㎡)
지하1층	철근콘크리트조	근린생활시설	90
지상1층	철근콘크리트조	근린생활시설	180
지상2층	철근콘크리트조	근린생활시설	180
지상3층	철근콘크리트조	근린생활시설	180
지상4층	철근콘크리트조	단독주택	180
지상5층	일반철골조	단독주택	100
지상6층	일반철골조	단독주택	90
옥탑층	일반철골조	기계실 등(연면적제외)	20

*지상 5, 6층은 2010년 10월 1일에 증축되었다(옥탑은 증축과 무관함).
*해당 건물은 신축단가표상 2급 건물과 유사한 수준이다.

자료 2 각 층별 부대설비 설치 내역

구분	지하 1층	지상 1~3층	지상 4~6층	옥탑층
설비내역	소화탐지설비	위생설비, 소화탐지설비	위생설비, 냉난방설비, 소화탐지설비	별도 설비 없음

*소화탐지설비는 지하 1층, 지상 5, 6층은 3개, 지상 1, 2, 3, 4층은 1개층당 5개씩 설치되어 있다.
*엘리베이터는 전체 건물에 1대가 설치되어 있다.

자료 3 신축단가표

용도	구조	급수	표준단가(원/m²)	내용연수
점포 및 상가	철근콘크리트조	2	1,200,000	50
점포 및 상가	일반철골조	2	950,000	45
단독주택	철근콘크리트조	2	1,600,000	50
단독주택	일반철골조	2	1,100,000	45
옥탑	–	2	500,000	45

*지하부분은 지상부분의 표준단가의 80%를 적용한다(부대설비보정단가는 동일하게 적용).

자료 4 부대설비보정단가

구분	냉난방설비	위생설비	소화탐지설비	승강기설비
보정단가	㎡당 150,000원	㎡당 50,000원	EA당 300,000원	EA당 80,000,000원

자료 5 재조달원가 및 적용단가는 절사하여 유효숫자 3자리까지 표시한다.

• 문제 1 **다음에 제시된 자료를 근거하여 건물의 감정평가액을 산정하시오.** 15점

자료 1 대상건물자료

1. 소재지 : 서울특별시 관악구 봉천동 1
2. 구조 : 철근콘크리트조 슬래브지붕 지상 5층 지하 1층
3. 이용상황 : 상업용 및 주거용
4. 건축물대장 열람내역(연면적 : 990㎡)

층	용도	면적(㎡)	사용승인일
지하 1층	주차장	90	
1층	근린생활시설	200	
2층	근린생활시설	200	2019.08.01.
3층	근린생활시설	200	
4층	근린생활시설	200	
5층	단독주택	100	2022.09.08. 증축

5. 기준시점 : 2025년 8월 10일

자료 2 재조달원가

1. 지상부분의 상업용부분 : 800,000원/㎡
2. 지상부분의 주거용부분 : 1,200,000원/㎡
3. 지하주차장 : 500,000원/㎡
4. 경제적 내용연수 : 50년, 물리적 내용연수 : 70년

자료 3 건물단가는 반올림하여 유효숫자 3자리까지 표시한다.

• 문제 2 **다음 건물의 재조달원가를 산정하고 건물의 적산가격을 산정하시오.**

자료 1 대상건물에 관한 자료

1. 소재지 : 서울시 성북구 D동 200번지
2. 구조 : 일반철골조 슬래브지붕 지하 2층 지상 7층 건물
3. 이용상황 : 근린생활시설
4. 면적(연면적 2,460㎡) : 지상 각층 300㎡(총 2,100㎡), 지하 각층 180㎡(총 360㎡)
5. 지상층 부대설비 : 위생설비, 중앙난방 및 냉방설비, 화재탐지설비
6. 지하층 부대설비 : 자동주차설비(1대)
7. 공통부대설비 : 스프링클러설비, 승강기설비(1대)
8. 신축시점 : 2018년 10월 1일

자료 2 인근의 기준시점 현재의 표준적인 건축비

1. 구조별 기본건축비

구조	철골조(N=45)		철근콘크리트조(N=50)	
	근린생활시설	주택	근린생활시설	주택
표준단가	600,000원/㎡	800,000원/㎡	900,000원/㎡	1,200,000원/㎡

*기본건축비에 부대설비가격이 포함되지 않은 가격이며, 지상부분을 기준한 것이므로 지하부분을 적용하는 경우에는 각 건축비의 70%를 적용함.

2. 부대설비가격

구분	위생설비	냉난방설비	화재탐지설비	자동주차 설비	스프링클러 설비	승강기설비
부대설비 보정가	30,000	150,000	20,000	14,400,000	30,000	49,200,000
단위	원/㎡	원/㎡	원/㎡	EA	원/㎡	EA

자료 3 기타자료

1. 기준시점 : 2025년 8월 30일
2. 감가수정은 정액법으로 하되, 잔가율은 0%임. 재조달원가 및 적용단가는 유효숫자 3자리까지 표시

감정평가사 A는 아래 건물에 대한 감정평가를 진행하고 있다. 원가법에 의하여 아래 건물에 대한 감정평가액을 결정하시오. 20점

※ 기준시점 : 2025년 6월 30일

자료 1 평가대상물건

1. 물건의 소재지 : A시 B동 100, 제2종일반주거지역, 대지, 주상용 건부지

2. 건축물관리대장 열람결과

건축물 현황				사용승인일(증축일)
층별	구조	용도	면적(㎡)	
지층	철근콘크리트조	근린생활시설	150	1999.10.05.
1층	철근콘크리트조	근린생활시설	100	
2층	철근콘크리트조	다가구주택	100	
3층	경량철골조	다가구주택	80	2010.04.09.

3. 해당 건물의 부대설비 현황

구분	부대설비 현황
지하 1층	화재탐지설비, 승강기설비
지상 1층	위생설비, 화재탐지설비, 승강기설비
지상 2층	위생설비, 냉난방설비, 화재탐지설비, 승강기설비
지상 3층	위생설비, 냉난방설비, 화재탐지설비

*부대설비단가는 지하, 지상에 구분 없이 적용할 것

자료 2 재조달원가 관련 자료

1. 건물의 표준단가(원/㎡)

용도/구조	근린생활시설	다가구주택	경제적 내용연수
철근콘크리트조	900,000	1,200,000	50
경량철골조	600,000	800,000	45

*지하부분은 지상부분의 80%의 표준단가를 적용하도록 한다.

2. 부대설비 보정단가

구분	위생설비	냉난방설비	화재탐지설비	승강기설비
보정단가	30,000원/㎡	150,000원/㎡	20,000원/㎡	승강기 1대당 49,000,000원

3. 해당 건물의 신축시점의 신축비는 200,000,000원이나 그 시공과정에 자연재해로 인하여 통상적인 공사비에 비하여 과다하게 소요되었다.

서울시 K구 Y동의 빌딩을 소유하고 있는 (주)CH E&M은 한국감정평가법인 柳평가사에게 현물출자를 위한(현물출자 목적 감정평가) 건물가격의 평가를 의뢰하였다. 이에 柳평가사는 사전조사 및 실지조사를 통하여 아래의 자료를 수집하였으며, 제시된 자료를 참조하여 건물의 감정평가액을 결정하시오. 20점

자료 1 평가대상 부동산현황

1. 소재지 : 서울시 K구 Y동 967, 대, 1,300㎡
2. 건물현황 : 위 지상 철근콘크리트조, 16,350㎡(일반건축물), 지하 4층, 지상 15층
3. 구체적 이용상황

구분	바닥면적(㎡)	이용상황	비고
지하 4층~2층	2,700	기계실, 주차장	전기설비, 승강기
지하 1층~지상 1층	1,750	근린생활시설 (판매시설)	전기설비, 위생설비, 승강기
지상 2층~4층	2,550	업무시설	전기설비, 위생설비, 냉난방설비, 승강기
지상 5층~지상 15층	9,350	주거용 오피스텔	전기설비, 위생설비, 냉난방설비, 승강기

4. 건축물의 사용승인일 : 2014년 6월 30일

자료 2 평가대상건물의 건축비 관련 사항

1. 해당 건물의 건축 당시 상황
   현재 해당 건물은 관계사를 통하여 시공하여 수급자(시공사)의 적정이윤이 반영되지 않은 상황이다. 도급계약비용이 소유자 회사의 취득원가로 계상되었다. 본건과 규모 등 측면이 유사한 다른 건축사례를 통하여 조사한 결과 시공자의 적정이윤은 통상 원가의 15% 수준인 것으로 본다.
2. (주)CH E&M의 2024년 12월 31일 기준 재무제표 발췌내용

구분	금액(원)	비고
취득원가(건물)	10,000,000,000	해당 건물에 한함
감가상각누계액	(2,000,000,000)	내용연수(세법) : 50년

*상기 취득원가(100억)의 세부 항목별 비율은 아래와 같다.
공사비(직접비 및 인테리어) 90.0%, 설계비 : 1.5%, 감리비 : 1.0%, 기존건물 철거비 : 0.5%, 미술품 장식비 : 2.0%, 광고 홍보비 및 임대대행 수수료 : 2.0%, 적정 금융비용 : 3.0%

자료 3 신축단가표 및 부대설비 보정(기준시점 기준)

1. 건물의 표준단가

용도	구조	급수	표준단가 (원/㎡)	비고
기계실, 주차장	철근콘크리트조	–	–	근린생활시설 부분의 75% 적용
근린생활시설	철근콘크리트조	2	700,000	–
		3	600,000	–
업무시설 (업무용)	철근콘크리트조	2	850,000	–
		3	700,000	–
업무시설 (주거용 오피스텔)	철근콘크리트조	2	1,100,000	–
		3	950,000	–

*상기 단가는 지상 및 지하 구분 없이 공히 사용이 가능한 것으로 가정한다.

2. 상기 표준단가에 포함된 항목

가설공사, 철근콘크리트공사, 미장공사, 수장공사, 기타 공사비용, 제경비(간접노무비, 산재보험, 건강보험, 연금보험, 일반관리비), 설계비, 감리비, 전기기본공사비

3. 부대설비 보정단가

구분	㎡당 단가 등
전기설비	25,000
위생설비	35,000
냉난방설비	100,000
승강기설비	일괄 760,000,000원이며, 단위면적당 단가로 변환하여 활용한다.

자료 4 경제적 내용연수

구분	경제적 내용연수
철근콘크리트조	50년

자료 5 생산자물가지수

구분	2014.05.	2014.06.	2014.07.	…	2024.12.	2025.01.	2025.06.	2025.07.
지수	101.88	101.98	103.10	…	116.70	117.97	118.26	미고시

자료 6 평가대상건물의 현장조사 결과

1. 건물의 등급조사 결과
   해당 건물의 구조, 시공정도, 설비의 우수성, 규모 등을 종합적으로 고려하여 판단하건대, 건물 중 기계실, 주차장, 근린생활시설, 업무시설의 경우 5등급 중 3등급, 주거용 오피스텔 부분은 2등급을 적용하는 것이 적정할 것으로 판단됨.
2. 최근 개보수한 주거용 오피스텔부분의 개보수비용은 10억원 정도 소요되었으며, 이로 인하여 실제 경과연수보다 3년 적게 관찰감가한다.

자료 7 기타사항

1. 가격조사 완료일자 : 2025년 6월 28일
   기준시점 의뢰일 : 2025년 6월 30일
2. 재조달원가 및 적용단가는 절사하여 유효숫자 3자리까지 표시한다.
3. 재조달원가는 직·간접법을 병용하되, 실제 공사비가 차이 나는 경우에는 그 사유를 3가지 이상 기술하시오.

감정평가사 A씨는 A시 B구에 소재하는 업무시설(A빌딩)에 대하여 일반시가참조목적의 감정평가를 진행하고 있다. 아래 제시된 정보를 토대로 토지, 건물을 일괄로 비교하는 거래사례비교법에 의하여 감정평가를 진행하시오(기준시점 : 2025년 7월 10일). 10점

자료 1 본건 및 거래사례의 정보

구분	본건	거래사례 1	거래사례 2
건물명	A빌딩	B빌딩	C빌딩
토지면적(㎡)	1,000	1,000	1,000
건물면적(㎡)	13,000	7,000	13,500
용도지역	일반상업	일반상업	일반상업
사용승인일	2018.05.01.	1998.07.04.	2019.09.07.
건물의 용도	업무시설	업무시설	업무시설
거래시점	–	2025.01.01.	2024.11.15.
거래금액(백만원)	–	90,000	121,500
비고	–	- 거래금액의 20%는 계약시점 지급하고, 나머지는 금리 5%로 10년간 연원리금균등상환하는 조건임(할인율은 6%를 적용함). - 토지와 건물의 가격구성비는 거래사례 1이 8:2, 거래사례 2가 6:4이다.	

※사례는 인근지역(동일권역)에 위치한다.

자료 2 토지의 건물의 개별요인 평점

구분	본건	거래사례 1	거래사례 2
토지	100	115	90
건물	100	50	105

※건물의 요인에는 잔가율에 대한 비교가 포함되어 있음.

자료 3 투자수익률 정보(오피스, 단위 : %)

구분	2024년 4분기	2025년 1분기	2025년 2분기	2025년 3분기
소득수익률	1.10	1.20	1.30	미고시
자본수익률	0.68	0.60	0.65	미고시
투자수익률	1.78	1.80	1.95	미고시

자료 4

건물의 단위면적당 거래가격을 비교단위로 하여 비교하며, 단위면적당 단가는 반올림하여 유효숫자 3자리, 최종 평가액은 백만원 단위까지 반올림하여 표시할 것

다음 자료를 이용하여 대상부동산을 거래사례비교법을 이용하여 일괄로 평가하시오. 10점
※ 기준시점 : 2025년 11월 1일

자료 1 대상부동산과 사례부동산

	대상부동산	사례부동산
소재지	A시 B구 C동 100	A시 B구 C동 110
사용승인일자	2025.10.1.	2019.6.1.
구조 및 용도	철근콘크리트조 슬래브지붕 지상 4층, 업무용	철근콘크리트조 슬래브지붕 지상 4층, 업무용
대지면적	507㎡	494㎡
건축면적	228㎡	222㎡
연면적	912㎡	880㎡
준공의 질과 양	중급	중급
건물 본체의 경제적 잔존내용연수(기준시점 현재)	50년	44년
설비의 양부	양호	양호
승강기설비	없음	없음
냉・난방, 공조설비	없음	없음
화재경보기	있음	있음
근린지역과의 적합성 및 건물과 부지의 적응성	양호(최유효사용)	양호(최유효사용)
건물 개별요인(잔가율 포함)	100	95

*대상부동산에 관한 건물과 사례물건의 건축비는 표준적인 것이다.
*대상부동산과 사례부동산은 모두 최유효이용상태이다.

자료 2 사례부동산 자료

사례는 2024년 9월 30일에 2,400,000,000원(2,730,000원/㎡)으로 매매되었으며, 사례 건물의 거래 당시 재조달원가는 600,000원/㎡이다.

자료 3 인근 상권의 오피스 자본수익률

구분	B구
2024.09.30.~2025.09.30.(누계)	1.02651
2025.08.01.~2025.09.30.(누계)	1.00897
2025.09.01.~2025.09.30.(당월)	1.00521

자료 4 지역요인 및 개별요인(수량요소 제외)

구분	대상	사례
개별요인(토지)	100	100
지역요인	100	109

자료 5 기타사항

면적비교는 건물단위면적당 가격으로 비교함.

QUESTION 34

감정평가사인 당신은 M자산운용으로부터 경기도 이천시에 소재하는 ABC 물류창고에 대한 시가참조목적의 감정평가를 의뢰받았다. 아래의 자료를 통하여 "일괄거래사례비교법"에 의하여 물류창고의 시장가치를 감정평가하시오. 20점

(물음 1) 토지 · 건물을 각각 비교하는 방식에 의하여 평가하시오. 12점

(물음 2) 토지 · 건물을 일괄로 비교하는 방식에 의하여 평가하시오. 8점

※ 기준시점 : 2025년 7월 15일

자료 1 평가대상의 개요

1. 토지의 개황

기호	소재지	면적(㎡)	용도지역	지목	이용상황	도로접면	형상 및 지세
1	D리 3	23,000	계획관리	창	창고	소로한면	부정형 평지

2. 지상 건물의 개황

명칭	구조	규모	건축면적(㎡)	연면적(㎡)	사용승인일	창고유형
ABC 물류창고	철근콘크리트 구조	지상 3층	8,500	20,000	2022.05.01.	상온창고

자료 2 거래사례의 현황

구분	거래사례 1	거래사례 2	거래사례 3
소재지	A리 100	B리 100	C리 100
건물명	G물류	T물류	P냉장
창고종류	상온창고	상온창고	냉동창고
거래금액(천원)	28,000,000	16,100,000	24,000,000
거래시점	2024.05.01.	2022.07.05.	2024.06.07.
토지면적(㎡)	25,000	22,000	10,000
건물면적(㎡)	28,000	23,000	15,000
용도지역	계획관리	계획관리	계획관리
건물의 구조	철근콘크리트조	철골조	철근콘크리트조
사용승인일	2020.06.05.	2015.10.09.	2018.06.01.

자료 3 시점수정 관련 자료

1. 지가변동률

구분 (단위 : %)	2024.05.01. ~2025.07.15.	2022.07.05. ~2025.07.15.	2024.06.07. ~2025.07.15.
계획관리지역	3.457	11.239	3.211
대	3.214	10.233	3.197

2. 생산자물가지수

구분	2022.06.	2022.07.	2024.04.	2025.05.	2025.06.	2025.07.
지수	103.27	103.57	113.29	114.12	114.93	미고시

3. 창고건물의 자본수익률(단위 : %)

구분	2022. 3Q	2022. 4Q	2023. 1Q	2023. 2Q	2023. 3Q	2023. 4Q	2024. 1Q	2024. 2Q	2024. 3Q	2024. 4Q	2025. 1Q
자본수익률	0.37	0.42	0.39	0.47	0.53	0.62	0.58	0.53	0.48	0.47	0.57

*2025년 2분기 자본수익률은 발표되지 아니하였음.

자료 4 개별요인 평점

1. 물음 1 관련

구분	본건	거래사례 1	거래사례 2	거래사례 3
토지	100	95	110	120
건물	100	90	105	110

*건물의 개별요인치에는 잔가율비교가 포함되어 있다.

2. 물음 2 관련

구분	물류창고의 입지	획지 및 행정조건	창고의 품질 및 규모	창고의 노후화정도
본건	100	100	100	100
거래사례 1	93	100	95	95
거래사례 2	103	104	107	95
거래사례 3	110	103	105	98
가중치	60%	10%	20%	10%

자료 5

해당 건물의 토지와 건물의 가격구성비는 6 : 4이며 이는 유사한 사례의 가격구성비와 대등한 것으로 본다.

감정평가사 甲 씨는 (주)S생명으로부터 경기도 이천시에 소재하는 물류창고에 대한 담보취득 목적의 감정평가를 의뢰받고 아래의 자료를 수집하였다. 제시된 자료를 활용하여 해당 복합부동산을 토지, 건물 일괄평가의 방법으로 감정평가하시오. 30점

자료 1 평가대상물건의 개요

1. 토지(일단의 창고용지)

기호	소재지	면적(㎡)	지목	이용상황	용도지역	도로교통	형상/지세	공시지가(원/㎡)
1	S면 H리 44	555	창	일단 창고부지	계획관리	소로한면	부정형 완경사	113,700
2	S면 H리 44-1	27,267	창	일단 창고부지	계획관리	소로한면	부정형 완경사	104,600
3	S면 H리 45	515	창	일단 창고부지	계획관리	소로한면	부정형 완경사	113,700
4	S면 H리 73-3	248	창	일단 창고부지	계획관리	소로한면	부정형 완경사	102,300
5	S면 H리 73-5	228	창	일단 창고부지	계획관리	소로한면	부정형 완경사	102,300
6	S면 H리 73-6	130	창	일단 창고부지	계획관리	소로한면	부정형 완경사	102,300
합계		28,943.0						

2. 건물

기호	구조	층	용도	면적(㎡)	사용승인일	비고
가	일반철골구조 패널지붕	1층	창고	11,313.23	2018.12.22.	상온창고
	일반철골구조 패널지붕	2층	사무실	281.29		
	일반철골구조 패널지붕	3층	창고	11,313.23		
	일반철골구조 패널지붕	4층	사무실	240.50		
	-	-	-	23,148.25	-	-

*건폐율 : 39.09%, 용적률 : 80.00%

3. 토지의 입지여건과 토지이용계획 규제사항

구분	내역
지리적 위치	경기도 이천시 S면 H리 소재 S초등학교 남측 인근에 소재함.
주위환경	본건 주변 지역은 농촌지역으로 38번국도 및 인근 지방도로 인근에 일부 물류창고, 소규모 공장지대가 소재함.
교통상황	본건 남측으로 38번국도에 연결되고 본건 동측 8km 거리에 중부내륙고속도로 감곡IC가 위치하여 수도권으로 진입함.
지세, 형상	인접도로 대비 동측 하향 완경사지를 평탄하게 조성한 부정형의 토지임.
이용상황	6필지 일단의 창고부지로 이용 중임.
접면도로	본건 동측에 접하는 노폭 약 10m의 도로를 통해 인접한 38번국도(S교차로)에 연결됨.

4. 토지이용계획 및 공법상 제한상태

기호	소재지	지번	토지이용계획 등
1외	S면 H리	44외	계획관리지역, 가축사육제한구역, 제한보호구역, 자연보전권역, 배출시설 설치제한지역, (한강)폐기물매립시설 설치제한지역

5. 건물의 구조 및 이용상황

구분	내용
건물구조	일반철골구조 기타지붕 (Main Column : H-Beam 700*300, Sub Column : H-Beam 400*400) 경사지를 이용하여 1층 및 3층 창고로 진출입 가능 • 2, 4층은 높은 층고를 이용한 중층구조 • 동측, 서측으로 물류의 하역을 위하여 1m 정도 높이의 데크 설치 • 상부에는 약 410㎡ 정도의 차양이 설치됨(가설건축물 신고필)
마감재	• 외벽 : 메탈판넬 • 내벽 : 철근콘크리트 옹벽 위 플라스틱 배수판붙임 등
이용상황	• 1, 3층 : 창고 • 2, 4층 : 사무실
부대시설	• 위생 및 급배수시설, 소화전, 화재탐지설비, CCTV, 수변전설비 등

자료 2 거래사례의 현황

구분	사례 1	사례 2	사례 3
물건유형	상온창고	상온창고	상온창고
소재지	이천시 M면 P리 489-11	이천시 M면 P리 710외	이천시 M면 D리 9외
용도지역 지목 접면도로	계획관리지역 창고용지 4차선 포장도로(14m)	계획관리지역 창고용지 4차선 포장도로(14m)	계획관리지역 창고용지 6m 포장도로
대지면적(㎡)	20,498.00	28,604.00	27,970.00
건축면적(㎡)	8,173.81	13,710.10	10,083.13
건축연면적(㎡)	27,015.83	49,867.62	10,954.65
건폐율/용적률(%)	39.88 / 79.27	47.93 / 105.83	36.05 / 39.17
층수, 동수	지상4/지하2, 1동	지상3/지하2, 3동	지상4/지하2, 1동
구조	일반철골조 기타지붕	일반철골조 기타지붕	일반철골조 기타지붕
사용승인일	2022.02.15.	2024.07.21.	2023.04.15.
매매금액(백만원)	28,750	51,985	12,000
매매시점	2023.06.19.	2024.09.04.	2023.07.04.
매매단가 (원/건물면적㎡)	1,064,190	1,042,470	1,095,490
인접고속 도로IC 및 거리	덕평, 서이천IC(4km)	덕평, 서이천IC(8.7km)	덕평, 서이천IC(11.4km)
Cap Rate	6.2%	6.1%	2.2%

구분	사례 4	사례 5	사례 6
물건유형	상온창고	상온창고	저온창고
소재지	이천시 H면 A리 83외	이천시 M면 P리 700	이천시 M면 J리 524-2외
용도지역 지목 접면도로	계획관리지역 창고용지 2차선 포장도로(6m)	일반공업지역 창고용지 4차선 포장도로(12m)	계획관리지역 창고용지 6m 포장도로
대지면적(㎡)	40,553.00	10,901.00	26,258.00
건축면적(㎡)	15,408.50	6,134.95	9,264.21
건축연면적(㎡)	61,016.08	19,218.82	18,169.81
건폐율/용적률(%)	38 / 99.51	56.28 / 111.20	35.28 / 68.17
층수, 동수	지상3/지하2, 1동	지상3/지하1, 3동	지상4/지하1, 1동
구조	프리캐스트철근콘크리트조 기타지붕	일반철골조 기타지붕	철근콘크리트조 스라브지붕
사용승인일	2022.04.25.	2024.11.21.	2020.06.23.
매매금액 (백만원)	64,085	21,400	35,656
매매시점	2023.08.14.	2024.11.21.	2023.10.29.
매매단가 (원/건물면적㎡)	1,050,300	1,113,540	1,915,030
인접고속 도로IC 및 거리	이천IC(9.8km)	여주IC(4.1km)	감곡IC(12.8km)
Cap Rate	5.7%	6.5%	7.3%

자료 3 물류창고의 시장상황 등

주요 창고 거래사례의 Cap Rate는 10여 년 전 금융위기 이후에는 지속적으로 5.5~7.5% 정도 수준에서 안정적으로 형성되고 있으며, 최근 금리하락으로 다소 낮아지고 있음. 일부 Cap Rate가 현저히 낮거나 높은 수준에서 이루어지는 거래사례가 있는 경우는 대부분 계열사 간의 거래이거나 임대차관계에 있어서 계열사 간 마스터리스 형태로 인하여 차이가 나는 경우가 대부분으로서 사정이 개입된 거래로 본다.

자료 4 시점 관련 자료

1. 생산자물가지수(출처 : 한국은행)

구분	2023.06.	2023.07.	2023.08.	2023.10.	2024.08.	2024.11.	2024.12.
총지수	101.23	101.87	102.37	103.79	104.77	104.98	105.11
부동산지수	106.26	106.97	107.11	107.26	107.88	108.52	108.76

*2025년 1월 지수는 미고시됨

2. 지가변동률(이천시)

기간	지가변동률(%)
2023.06.19. ~ 기준시점	2.819
2023.07.04. ~ 기준시점	2.670
2023.08.14. ~ 기준시점	2.499
2023.10.29. ~ 기준시점	2.219
2024.09.04. ~ 기준시점	0.779
2024.11.21. ~ 기준시점	0.454

*편의상 용도지역 차이와 무관하게 적용한다.

3. 이천시(이천도심권역)의 용도별 자본수익률(%)

구분	매장용	업무용
2023년 2분기	0.27	0.50
2023년 3분기	0.37	0.40
2023년 4분기	0.44	0.38
2024년 1분기	0.19	0.19
2024년 2분기	0.29	0.49
2024년 3분기	0.39	0.59
2024년 4분기	0.49	0.60

4. 시점수정 시 가장 타당한 하나의 자료를 활용할 것

자료 5 가치형성요인비교 자료

1. 창고시설의 지역적인 격차

동종 창고시설의 경우 인접한 고속도로에 따라 가격수준의 차이를 보이고 있으며, 그 수치는 아래와 같다.

구분	감곡IC	이천IC	서이천IC 덕평IC	남이천IC	여주IC
표준적 창고의 가격 (원/건물㎡)	1,000,000 ~ 1,100,000	1,150,000 ~ 1,250,000	1,100,000 ~ 1,200,000	1,050,000 ~ 1,150,000	1,000,000 ~ 1,100,000

2. 도로조건에 따른 평점

세로(가)	소로한면	중로한면	광대한면
95	100	105	110

*각지의 경우 3% 가산한다.

3. 고속도로 IC와의 거리에 따른 격차율

5km 이내	7km 이내	9km 이내	11km 이내	11km 초과
100	98	96	94	92

4. 창고건물의 규모에 따른 비교

(1) 창고시설의 경우 연면적 기준 20,000 ~ 40,000㎡의 창고시설 간에 서로 대체관계에 있으며, 이와 다른 규모의 수요 임차인 및 업종이 상이한 경우 직접적인 비교는 불가하다.

(2) 한편, 연면적이 20,000 ~ 30,000㎡의 창고규모의 경우 30,000 ~ 40,000㎡인 창고에 비하여 3% 열세하다.

5. 건물의 노후도에 따른 비교

건물의 내용연수는 40년이며, 최종잔가율은 10%로서 만년감가에 의한다.

6. 기타 건물의 개별요인비교

본건	사례 1	사례 2	사례 3	사례 4	사례 5	사례 6
110	100	105	105	100	100	130

자료 6 본건 유사 부동산의 표준적인 가격구성비율

본건과 유사한 이용상황 등의 창고시설의 경우 토지, 건물의 표준적인 가격구성비율은 3 : 7인 것으로 조사되었다.

자료 7 기타사항

1. 현장조사완료일은 2025년 1월 23일이다.
2. 최종감정평가액 결정 시 총액에 있어서 억단위에서 반올림하여 구하도록 한다.
3. 거래사례의 선정과정 및 배제사유를 기재할 것

다음 임대상태인 부동산의 수익가액을 직접환원법에 의하여 결정하시오. 10점

자료 1 임대료 내역 등

1. 소재지 : A시 B구 C동 50 (토지 600㎡, 건물 2,500㎡)
2. 용도지역 및 이용상황 : 제2종일반주거지역, 근린생활시설
3. 사용승인일 : 2022년 5월 3일
4. 임대차 현황

구분	임대면적(㎡)	현행 임대료		표준적 임대료	
		보증금(원)	월임대료(원)	보증금(원)	월임대료(원)
지하 1층	500	공실		100,000,000	1,500,000
지상 1층	500	300,000,000	8,000,000	300,000,000	8,000,000
지상 2층	500	1,000,000,000	–	200,000,000	4,000,000
지상 3층	500	공실		200,000,000	2,000,000
지상 4층	500	200,000,000	1,500,000	200,000,000	1,500,000
전체	2,500	1,500,000,000	9,500,000	1,000,000,000	17,000,000

※관리비는 ㎡당 월 3,000원을 수취한다.
※지하 1층은 현재 공실이며, 지상 2층은 임대인의 자금부족으로 전세계약을 체결하였다.
※지하 1층과 지상 3층은 각각 공실이다.
※본 건물의 총 주차대수는 30대이며, 임대면적 250㎡당 1대의 무료주차를 제공하며, 이외의 주차는 1달에 100,000원의 정기권으로 판매하고 있다.

자료 2 적용률

1. 정기예금금리이자율 : 연 2.0%
2. 회사채(BBB)금리 : 연 4.0%
3. 현재 본건의 공실률 : 40%(2개층), 인근의 표준적 공실률 : 5.0%
4. 경비비율 : 관리비수입의 70%

자료 3 인근 유사 부동산의 거래사례

구분	거래사례 A	거래사례 B	거래사례 C	거래사례 D
소재지	A시 B구 C동 100	A시 B구 C동 200	A시 B구 C동 300	A시 B구 C동 400 제101호
용도지역/이용상황	2종일주/상업용	2종일주/상업용	2종일주/주거용	2종일주/상업용
토지 및 건물면적(㎡)	(토지) 600㎡ (건물) 2,400㎡	(토지) 600㎡ (건물) 800㎡	(토지) 600㎡ (건물) 2,400㎡	(토지) 50㎡ (건물) 90㎡
거래금액	7,000,000,000	5,800,000,000	4,500,000,000	1,100,000,000
거래시점	2024.01.01.	2024.01.01.	2024.01.01.	2024.01.01.
지상 건물 사용승인일 등	철근콘크리트조 2021.12.08.	철근콘크리트조 1993.07.19.	철근콘크리트조 2022.11.05.	철근콘크리트조 2024.03.09.
거래당시 순수익	300,000,000	110,000,000	120,000,000	60,000,000
비고	토지/건물 거래	토지/건물 거래	토지/건물 거래	구분건물거래

자료 4 해당 권역의 상업용 부동산 투자수익률

구분	20×× 1분기	20×× 2분기	20×× 3분기	20×× 4분기
소득수익률	1.24%	1.05%	0.84%	1.14%
자본수익률	0.35%	0.41%	0.45%	0.41%
투자수익률	1.59%	1.46%	1.29%	1.55%

자료 5 최종 시산가액은 반올림하여 백만원 단위까지 표시한다.

아래 부동산에 대한 수익환원법에 의한 감정평가액을 결정하시오. 15점

자료 1 해당 부동산의 개요

1. 서울특별시 A구 B동 100, B타워 제301호
2. 용도 및 실제이용상황 : 근린생활시설(사무소)

자료 2 임대차 관련 사항

현재 임대차내역			표준적인 임대차내역		
보증금	월임대료	월관리비	보증금	월임대료	월관리비
50,000,000	3,000,000	500,000	50,000,000	4,000,000	500,000

*해당 임대차내역은 특수관계인간의 임대차내역이다.

자료 3

1. 보증금 운용이율 : 연 3.0%
2. 관리비는 임차인의 사용, 수익에 부가되는 사용료로서 실비와 상계가 된다.
3. 표준적인 공실률 : 5.0%
4. 운영경비비율 : 유효총수입 대비 30%

자료 4 환원이율 관련 정보

1. 환원이율 정보 – 1
   – 거래사례 현황(거래사례는 모두 최근에 거래된 사례임)

연번	거래사례 1	거래사례 2	거래사례 3	거래사례 4	거래사례 5
구분	집합건물	토지, 건물	토지, 건물	집합건물	집합건물
이용상황	상업용	상업용	상업용	주거용	상업용
순수익	30,000,000	20,000,000	30,000,000	15,000,000	24,000,000
거래가격	600,000,000	600,000,000	950,000,000	500,000,000	500,000,000

2. 환원이율 정보 – 2
   (대출조건)
   – 해당 집합건물의 통상적인 대출비율 : 60%
   – 해당 물건의 통상적인 대출이자율 : 5.0%

- 상환조건 : 연납 기준 원리금균등상환조건(만기 : 20년)
- 환원이율의 산정방법은 ROSS 방식에 의한다.

(자기자본에 대한 조건)

- 자기자본에 대한 환원이율 : 7.0%

3. 환원이율 정보 - 3

(대출조건은 상기와 같다)

- 지분수익률 : 8.0%
- 통상적인 보유기간 : 5년
- 보유기간 후 부동산의 가치변동분 : 10% 상승

4. 환원이율 정보 - 4

(대출조건은 상기와 같다)

- 대출기관에서 설정하는 연간 저당납입액 대비 순수익의 비율 : 1.3

자료 5

1. 산출된 환원이율은 백분율 기준 소수점 1자리까지 반올림하여 산출하되, 모든 환원이율을 평균내어 결정한다.
2. 감정평가액은 반올림하여 총액기준으로 백만원 단위까지 산정한다.

감정평가사 A 씨는 아래의 수익성 부동산(업무시설)을 감정평가하고 있다. (물음 1) 아래 부동산에 대한 환원이율을 산정하고 (물음 2) 제시된 임대료 자료에 따라 아래 부동산의 수익환원법에 의한 감정평가액을 결정하시오. 20점

자료 1 대상부동산의 임대내역 및 비용현황

◎ 건물연면적(㎡)당 월임대료 : 20,000원
◎ 건물연면적(㎡)당 월관리비 : 4,000원
◎ 건물연면적(㎡)당 임차보증금 : 200,000원
◎ 공실률 : 대상건물 현행 0%(Full Rent), 인근의 동종 부동산의 공실률 : 3%
◎ 기타 영업경비 : 관리비의 70% 수준이 평균적인 수준임.

자료 2 대상부동산의 현황

1. 토지 : A시 B구 C동, 대, 600㎡
2. 건물 : 위 지상(연면적 4,000㎡ ; 건물의 전 내용연수는 50년, 준공 후 1년 경과), 업무용

자료 3 대상부동산의 투자내역

1. 시중의 부동산 담보인정비율(LTV)

구분	상업용	업무용
담보인정비율	50%	60%

2. 저당조건
   (1) 전형적인 대출만기 : 10년
   (2) 이자율 : 연 5%
   (3) 상환조건 : 만기 내 원리금 균등상환조건(만기 시 원금잔존비율 : 0%)

3. 지분배당률(지분환원율) : 10%

4. 인근 유사 부동산의 위험률 등 자료(단위 : %)

무위험률	규모 프리미엄	위치 프리미엄	유동성 프리미엄	기타 위험률
3.00	3.00	3.50	1.20	0.80

자료 4 대상부동산과 유사한 부동산의 거래조사내역(단위 : 만원)

구분	사례 1	사례 2	사례 3	사례 4
상각전 순수익	109,500	160,000	230,000	133,320
거래가격	1,000,000	1,500,000	2,100,000	1,200,000
이용상황	업무용	업무용	상업용	업무용
건물연면적(㎡)	4,200	33,000	10,000	3,800
건물의 잔존내용연수	49	25	40	43

자료 5 기타사항

1. 시장추출법 적용 시 적당한 사례를 선정하여 활용할 것
2. 시장추출법 적용 시 적당한 시장추출률을 산술평균하여 환원이율을 결정할 것
3. 보증금운용이율 : 5%
4. 금융적 투자결합법을 활용하는 경우 Kazdin법에 의할 것
5. 기준시점 : 2025년 8월 31일
6. 수익가액은 반올림하여 백만원 단위까지 표시한다.

아래 수익성 부동산에 대한 수익가치를 직접환원법에 의하여 감정평가하시오. 환원이율 결정 시에는 산정가능한 최대한의 자료를 활용하여 환원이율을 결정하되, 「감정평가 실무기준」에 의한 원칙적 방법에 의하여 환원이율을 결정하시오. 20점

자료 1 평가대상 부동산의 임대차 현황

구분	전유면적 (m²)	임대면적 (m²)	임대차 현황			이용상황
			보증금	월임대료	월관리비	
지하 1층	200	400	50,000,000	1,500,000	500,000	근린생활시설
지상 1층	150	300	80,000,000	4,000,000	400,000	근린생활시설
지상 2층	150	300	80,000,000	4,000,000	400,000	근린생활시설
지상 3층	150	300	공실상태임			업무시설

※지상 2층은 해당 건물의 소유자와 해당 건물의 소유자가 대표이사로 재직 중인 법인 간에 체결된 임대차계약이다.

자료 2 인근의 임대사례

1. 임대사례 1

   최근에 인근 2층의 근린생활시설로서 임대차계약이 체결된 사례로서 전유면적(m²)당 총수익은 연간 200,000원/m²로서 본건과 제반조건이 대등한 수준으로 판단됨.

2. 임대사례 2

   최근에 인근 3층의 업무시설로 임대차계약이 체결된 사례로서 임대면적(m²)당 총수익은 연간 75,000원/m²이며, 본건에 비하여 10% 열세한 사례이다.

자료 3 해당 권역의 소득수익률 자료(통계자료, 출처 : 한국부동산원)

구분	1분기	2분기	3분기	4분기
분기별 소득수익률	1.17%	1.06%	0.74%	1.09%

자료 4 해당 물건의 토지 및 건물의 환원이율 자료

1. 토지환원이율 : 3.5%
2. 건물의 상각후환원이율 : 5.0%

3. 자본회수는 직선법에 의하되 건물의 내용연수는 50년이다.
4. 인근 동종 부동산의 토지, 건물의 가격구성비율은 각각 70%, 30%이다.

자료 5 인근의 유사 부동산에 대한 지분투자 관련 자료

1. 지분수익률 : 7.0%
2. 해당 부동산의 전형적인 대출비율 : 50%
3. 대출은 이자지급(대출금리 : 4.0%) 후 만기 일시상환조건이며, 대출기간은 10년이다.
4. 표준적인 보유기간은 5년이다.
5. 5년 후 해당 부동산은 8% 정도의 가치상승이 있을 것으로 예상된다.

자료 6 인근 유사 부동산의 거래사례 자료

연간 순수익이 150,000,000원 정도 발생하는 근린생활시설 및 일부 업무시설인 복합부동산이 최근에 3,500,000,000원에 거래되었다.

자료 7 그 밖의 자료

1. 보증금운용이율 : 2.0%
2. 공실률 : 인근의 표준적인 공실률은 5.0% 수준인 것으로 판단된다.
3. 영업경비비율 : 유효총수입 대비 20%
4. 환원이율은 반올림하여 백분율 기준으로 소수점 첫째자리까지 결정하도록 한다.

감정평가사 Y 씨는 아래 부동산에 대한 시가참조목적의 감정평가를 의뢰받고 감정평가를 진행하고 있다. 직접환원법에 의한 감정평가액을 결정하시오. 15점

※ 기준시점 : 2025년 6월 30일

자료 1 대상부동산의 현황

1. 토지의 현황
   (1) 소재지 : S시 T구 W동 500번지 외
   (2) 용도지역 등 : 일반상업지역, 소로한면, 부정형, 평지

2. 건물의 현황
   (1) 구조 : 철근콘크리트조 슬래브지붕
   (2) 사용승인일자 : 2014년 5월 1일
   (3) 각 층별 현황

층별	구조	면적(㎡)	용도	비고
지하 1층	철근콘크리트조	260	주차장, 기계실	-
지상 1층	철근콘크리트조	520	사무실	P은행 임차
지상 2층	철근콘크리트조	520	사무실	P은행 임차
지상 3층	철근콘크리트조	520	사무실	R회사 임차
지상 4층	철근콘크리트조	520	사무실	R회사 임차
지상 5층	철근콘크리트조	400	사무실	공실
계		2,740	-	

자료 2 대상부동산의 임대내역

구분	임대면적(㎡)	임차인	임대기간	임대료
지상 1층	520	P은행	2020.07.01.~2025.06.30.	2024년 6월 1일부터 연간가능총소득(PGI) 120,000원/㎡ 적용
지상 2층	520	P은행	2020.07.01.~2025.06.30.	2024년 6월 1일부터 연간가능총소득(PGI) 95,000원/㎡ 적용
지상 3층	520	R회사	2023.07.01.~2028.06.30.	2024년 6월 1일부터 연간가능총소득(PGI) 80,000원/㎡ 적용

지상 4층	520	R회사	2023.07.01.~ 2028.06.30.	2024년 6월 1일부터 연간가능총소득(PGI) 80,000원/㎡ 적용
지상 5층	400	공실	-	최근 1개월간 공실
계	2,480	-		

*R회사는 회사 사정상 2025.06.30.에 이전할 계획이며, 현재 소유자도 중도계약해지에 동의하였고, 새로운 임차인을 시장임대료로 즉시 구할 수 있음.

자료 3 최근의 임대사례(임대사례가 대상부동산보다 10% 우세함)

1. 사례물건 : V동 138번지 소재 5층
   (1) 토지현황 : 일반상업지역, 대, 950㎡, 소로한면, 사다리형, 평지
   (2) 건물현황 : 철근콘크리트조, 2015.09.05, 지하 1층~지상 5층, 연면적 3,200㎡, 업무용

2. 임대상황
   (1) 1~2층 임대사례 : G은행 2025.07.01.부터 5년 계약
   연간가능총소득(PGI) 1층 160,000원/㎡, 2층 120,000원/㎡
   (2) 3~5층 임대사례 : H회사 2025.07.01.부터 5년 계약
   연간가능총소득(PGI) 3~4층 100,000원/㎡, 5층 90,000원/㎡

자료 4 환원이율 산정자료

구분	사례 1	사례 2	사례 3
매매가격(원)	3,500,000,000	2,200,000,000	2,400,000,000
순수익(원)	140,000,000	88,000,000	200,000,000
기타	최근 사례, 정상거래	최근 사례, 정상거래	최근 사례, 사정개입

자료 5 공실률은 매년 5%로 예상되며, 운영경비는 각 층별로 임대면적기준으로 연간 25,000원/㎡이 소요된다.

QUESTION 41

다음 부동산을 감정평가하시오. 15점

자료 1 해당 부동산의 현황

1. 토지 : 서울특별시 강남구 N동 100, 2,500㎡
   (대지, 일반상업지역, 제3종일반주거지역)
2. 건물 : 위 지상 철근콘크리트조 13,500㎡(2012.5.1. 준공)
3. 이용상황 : 업무시설
4. 기준월임대료(원/㎡) : 20,000원/㎡
5. 기준월관리비(원/㎡) : 10,000원/㎡
6. 보증금은 월임대료의 10배를 수취한다.
7. 기타수입은 고려치 않는다.

자료 2 각종 적용률

1. 보증금운용이율 : 연 2.0%
2. 종합할인율 : 6.0%, 지분할인율 : 8.0%
3. 재매도환원율(기출환원율) : 7.0%
4. 임대료상승률(보증금 및 관리비 포함) : 연 3.0%
5. 해당 건물의 현재 공실률 : 10.0%,
   표준적인 공실률 : 5.0%
6. 운영경비 : 관리비수입의 70%
7. 전형적인 보유기간 : 5년(가정)
8. 매도경비 : 2.0%

아래 부동산에 대한 할인현금수지분석법(DCF)에 의한 수익가액을 산정하시오. 단, 최종 수익가액은 반올림하여 백만원 단위까지 표시하시오. 15점

자료 1 대상부동산의 현황

1. 소재지 : A시 B구 C동 100
2. 이용상황 : 업무시설
3. 토지 및 건물면적 : 1,000㎡(토지), 8,000㎡(건물)

자료 2 임대시장 관련 정보

1. 표준적인 임대차내역
   현 시점에서 건물의 ㎡당 보증금 60,000원, 월임대료는 6,000원, 월관리비는 2,000원이 표준적인 임대료이다.
2. 오피스 건물의 표준적인 공실률 : 5.0%
3. 경비비율 : 관리비수입의 80%는 실제 운영경비로 소요되는 것으로 조사됨.

자료 3 해당 권역의 오피스 건물의 수익률 자료(단위 : %)

구분	소득수익률	자본수익률	투자수익률
1분기	1.06	0.53	1.59
2분기	1.03	0.51	1.54
3분기	0.84	0.49	1.33
4분기	1.02	0.46	1.48

*위 수익률 중 적정하다고 판단하는 수익률을 활용하도록 한다(분기별 상승식을 적용한다).

자료 4 현금흐름 추정 관련 자료

1. 기출환원이율은 기입환원이율 대비 1.5%p 가산하여 결정하도록 한다.
2. 재매각시점에서 매각에 소요되는 경비는 2.0%를 적용한다.
3. 임대료 상승은 물건의 가격상승률(자본수익률)과 유사할 것으로 예상된다.
4. 보증금에 대한 운용이율은 2.0%를 적용한다.
5. 전형적인 보유기간은 5년을 기준으로 한다.
6. 할인율, 기출환원율, 임대료상승률 등은 결정 시 백분율 기준으로 소수점 2자리 이하는 절사하여 소수점 1자리까지 결정한다.

감정평가사 A 씨는 (주)A의 법인전환과 관련한 현물출자 목적(일반거래)의 감정평가를 의뢰받고 아래의 자료를 수집하였다. 제시된 자료를 활용하여 일반상업지역 내 대상부동산의 시장가치를 결정하시오. 30점

자료 1 대상부동산의 현황

소재지/지번	서울특별시 S구 S동 1657-5		
주변환경	지하철 3호선 K역 동측 인근에 위치하는 복합부동산임.		
건물명	카○○○○빌딩	건물의 규모	지하 2층/지상 13층
사용승인일자	2013.06.23.	대지면적	665.40㎡
건축면적	360.06㎡	건물연면적	5,096.26㎡
건폐율	54.11%	건물연면적/대지면적	765.89%
개별공시지가 (2025년 1월 1일)	23,900,000원/㎡	이용상황	업무시설 및 근린생활시설 (주용도 : 업무시설)

자료 2 인근의 표준지공시지가(2025년 1월 1일)

일련 번호	소재지 지번	면적 (㎡)	지목/ 이용상황	용도지역	도로교통	형상 지세	지리적 위치	공시지가 (원/㎡)
A	S동 1697-1	387.0	대/ 업무용	일반상업	중로각지	세장형 평지	K역 남동측인근	16,000,000
B	S동 1656-1	456.0	대/ 업무용	일반상업	광대세각	세장형 평지	K역 남측인근	23,000,000

자료 3 인근의 감정평가선례 및 거래사례

1. 감정평가선례

기호	1(본건)	2	3	4	5
기준시점	2024.01.01.	2024.01.01.	2024.01.01.	2025.04.01.	2025.01.01.
소재지	S동 1657-5	S동 1672-11	S동 1572-5	S동 1574-15	S동 1699-16
지목/이용상황	대/상업용	대/상업기타	대/업무용	대/업무용	대/업무용
토지면적(㎡)	665.4	42.6	467.0	348.9	455.6
도로조건	광대세각	광대한면	중로한면	광대한면	광대한면
평가단가	32,700,000	37,800,000	21,000,000	30,500,000	29,800,000
개별공시지가(원/㎡)(2023년)	23,900,000	24,400,000	18,000,000	23,700,000	19,800,000
용도지역	일반상업	일반상업	일반상업	일반상업	일반상업
평가목적	담보	일반거래	일반거래	담보	일반거래

2. 거래사례 - 1

기호	거래사례 a	거래사례 b	거래사례 c
매매시점	2024.01.01.	2024.01.01.	2025.01.01.
소재지	S동 1573-13	S동 1692-6	S동 1672-11
지목/이용상황	대/상업용	대/업무용	대/상업기타
도로조건	중로한면	중로각지	광대한면
토지면적(㎡)	545.6	507.6	145.6
용도지역	일반상업	일반상업	일반상업
매매단가(원/㎡)	29,300,000	28,600,000	35,800,000
비고	토지만 거래	배분단가	토지만 거래
개별공시지가(원/㎡) (2023년)	17,700,000	18,800,000	26,200,000
개별요인 비교치	1.000	0.950	0.900

3. 거래사례 - 2

기호	거래사례 가	거래사례 나
소재지	S동 1688-1	S동 1698-7
건물명	-	-
용도지역	일반상업지역	일반상업지역
건물구조	철근콘크리트조	철근콘크리트조
건물규모	지하 2층/지상 8층	지하 2층/지상 7층
사용승인일자	1994.11.02.	2013.06.01.
이용상황	업무시설 외	업무시설 외
대지면적(㎡)	1,143.40	642.6
건축면적(㎡)	390.07	384.08
건물연면적(㎡)	3,674.33	5,116.7
건폐율	34.115%	59.770%
건물연면적/대지면적	321.35%	796.25%
거래시점	2024.06.26.	2024.12.30.
매매총액	20,500,000,000	25,000,000,000

자료 4 본건 건물의 가격자료

1. 표준단가

일련번호	해당층	면적(㎡)	이용상황	구조	표준단가(원/㎡)
가	지상층 및 지하 1층 일부	4,397.32	사무실 등	철골철근콘크리트조	1,450,000
	지하층	698.94	기계실 및 주차장 등	철골철근콘크리트조	850,000

2. 부대설비 보정단가

일련번호	항목	세부내용	적용단가(원/㎡)	
			(사무실 등)	(기계실 등)
가	전기, 발전설비	수변전설비(800KV), 비상발전기	100,000	50,000
	냉방설비	GHP 시스템냉방기		
	소방설비	화재탐지설비 등		
	승강기설비	엘리베이터 2대(15인승, 1,000kg)		
	위생설비	급배수		
	주차설비 등	기계식 주차(20대 등)		

3. 경제적 내용연수는 55년이며, 최종잔가율은 0%이다.

자료 5 본건의 표준적 임대료 및 현금흐름을 위한 주요 변수

1. 본건의 표준적 임대료

구분	표준적 임대료(원/㎡)	비고
보증금	–	월임대료의 10배
월임대료	28,000	건물의 임대면적기준
월관리비	8,000	건물의 임대면적기준

2. 현금흐름 분석을 위한 주요변수의 결정

구분	주요변수	적용내용
1	보유기간	5년
2	재매도환원율	7.00%
3	매도비용	재매도가격의 2.0%
4	보증금운용수익률	4.0%
5	임대료상승률	1.0%
6	공실 및 대손충당금	가능총소득의 5%
7	영업경비	관리비수입의 80%
8	할인율	6.00%

자료 6 시점 관련 및 개별요인 관련 자료

1. 지가변동률(S구 상업지역)

기간	변동률(%)	비고
2024.01.01.~2024.12.31.	3.471	2024년 12월까지의 누계
2025.01.01.~2025.04.30.	0.851	2025년 4월까지의 누계
2025.04.01.~2025.04.30.	0.159	–

2. 자본수익률(서울 S구)

구분	2024년 2/4분기	2024년 3/4분기	2024년 4/4분기	2025년 1/4분기	2025년 2/4분기
업무용	0.360	0.400	0.550	0.510	미고시
매장용	0.270	0.170	0.370	0.270	미고시

3. 개별요인 비교자료

(1) 본건/비교표준지

기호	가로조건	접근조건	환경조건	획지조건	행정적 조건	기타조건
A	1.15	0.90	1.00	1.00	1.00	1.00
B	1.00	1.00	1.00	1.00	1.00	1.00

(2) 비교표준지/평가선례

기호	가로조건	접근조건	환경조건	획지조건	행정적 조건	기타조건
1	1.00	1.00	1.00	1.00	1.00	1.00
2	1.05	0.90	1.00	1.10	1.00	1.00
3	1.05	1.00	1.00	0.95	1.00	1.00
4	0.95	0.95	1.00	1.05	1.00	1.00
5	0.95	1.10	1.00	1.00	1.00	1.00

4. 본건과 "거래사례 – 2"와의 비교(가치형성요인 비교)

(1) 거래사례 가 기준

구분		본건	거래사례 가	비고
입지적 특성	주위환경, 접근성, 교통환경 등	1.25	1.00	우세
건물 특성	건물등급, 규모, 편익시설 등	1.05	1.00	우세
기타 특성	기타 가격형성에 영향을 미치는 요인	0.78	1.00	열세
비고	본건은 사례대비하여 오피스빌딩의 효용증대를 위한 지원시설 및 편의시설, 대중교통 접근성 등 입지적 특성에서 우세하며, 건물의 경과연수, 규모 등 건물의 특성에서 우세하나, 본건과 사례의 건물연면적/대지권 차이에 따른 보정에서 열세하여 기타특성에서 열세함.			

(2) 거래사례 나 기준

구분		본건	거래사례 나	비고
입지적 특성	주위환경, 접근성, 교통환경 등	1.05	1.00	우세
건물 특성	건물등급, 규모, 편익시설 등	1.03	1.00	우세
기타 특성	기타 가격형성에 영향을 미치는 요인	1.00	1.00	대등
비고	본건은 사례대비하여 오피스빌딩의 효용증대를 위한 지원시설 및 편의시설, 대중교통 접근성 등 입지적 특성에서 우세하며, 건물의 경과연수, 규모 등 건물의 특성에서 우세하다.			

자료 7 기타자료

1. 현장조사기간 : 2025년 6월 11일(1일)
2. 감정평가서 작성일 : 2025년 6월 12일
3. 그 밖의 요인보정치 산정 시 비교표준지 기준방식을 사용한다.
4. 일괄감정평가 시 시산가액은 반올림하여 백만원 단위까지 표시한다.

감정평가사 A 씨는 서울특별시 관악구 소재 남부순환로변의 근린생활시설에 대한 감정평가를 의뢰받고 아래의 자료를 수집하였다. 본 감정평가는 감정평가사 A씨를 포함하여 몇 명의 감정평가사가 공동으로 감정평가를 수행하고 있으며 감정평가사 A씨는 해당 자산의 수익성에 초점을 맞춰 업무를 수행하고 있다. 제시된 수익성 부동산에 대하여 수익환원법에 의한 시가참조 목적의 감정평가액을 결정하시오. 20점

자료 1 평가대상물건의 개요

1. 건축개요

소재지	서울특별시 관악구 봉천동 ○○○-○	
토지	용도지역	준주거지역
	면적(㎡)	851.2
	도로	광대세각
건물	건축면적	495.87㎡(건폐율 : 58.26%)
	연면적	2,479.35㎡(용적률 : 233.02%)
	주용도	근린생활시설
	규모	지상 4층 / 지하 1층

2. 층별면적 및 용도

층별	면적(㎡)	용도
지하 1층	495.87	근린생활시설
지상 1층	495.87	근린생활시설
지상 2층	495.87	근린생활시설
지상 3층	495.87	근린생활시설
지상 4층	495.87	근린생활시설
합계	2,479.35	

3. 본건은 남부순환로변 전면에 소재하고 있는 상가이다.
4. 기준시점 : 2025년 7월 12일

자료 2 본건의 임대차내역 등

<table>
<tr><th>층별</th><th>임대 면적(㎡)</th><th>보증금</th><th>월차임</th><th>이용상황</th><th>비고</th></tr>
<tr><td>지하 1층</td><td>495.87</td><td>-</td><td>-</td><td>현황 공실</td><td>-</td></tr>
<tr><td>지상 1층</td><td>495.87</td><td rowspan="2">100,000,000</td><td rowspan="2">15,000,000</td><td>일반음식점</td><td rowspan="2">본 임대차계약의 임대인은 본 건물의 소유주이며, 임차인은 소유주의 친족이다.</td></tr>
<tr><td>지상 2층</td><td>495.87</td><td>일반음식점</td></tr>
<tr><td>지상 3층</td><td>495.87</td><td>-</td><td>-</td><td>사무실</td><td>3층부분 전체는 본 소유자가 직접 운영하고 있다.</td></tr>
<tr><td>지상 4층</td><td>495.87</td><td>-</td><td>-</td><td>현황 공실</td><td>-</td></tr>
<tr><td>합계</td><td>2,479.35</td><td>100,000,000</td><td>15,000,000</td><td>-</td><td>-</td></tr>
</table>

*관리비는 ㎡당 월 3,000원씩 수취하고 있으나 관리비의 전액은 실비(건물의 유지관리 및 임대차관리)로서 지출되고 있으며, 이는 인근의 상업용 건물의 일반적인 행태이다(공조공과 등은 별도로 지출됨).

자료 3 임대사례

1. 소재지 : 서울특별시 관악구 봉천동 ○○○-○번지 중 1층 일부
2. 용도 : 근린생활시설
3. 임대면적 : 350㎡
4. 임대료 : 보증금 500,000,000원, 월차임 : 22,000,000원
5. 주변환경 : 남부순환로 전면의 상가지대
6. 임대기간 : 2024년 8월 31일부터 2026년 8월 30일까지

자료 4 시점수정 자료[생산자물가지수(임대료), 한국은행]

2024.08.	2024.11.	2025.06.
105.28	105.30	105.63

자료 5 가치형성요인 비교자료

구분	본건	임대사례
토지요인(단지외부요인)	100	100
건물요인(단지내부요인)	100	105

*상기 요인에는 수량요소는 제외되어 있으며, 층별 격차에 대한 부분도 포함되지 않았다.

자료 6 층별 효용비

구분	지하 1층	지상 1층	지상 2층	지상 3층	지상 4층
층별 효용비	35	100	40	30	25

자료 7 적용률

항목	비율(%)	의견
보증금운용이율	4.0	국고채 및 회사채 수익률, 정기예금금리 등을 고려하여 결정하였다.
할인율	6.0	할인율은 시중금리수준 및 본 부동산의 위험을 고려하여 결정하였다.
재매도환원이율	7.0	시중의 금리수준을 고려하되, 대상부동산의 위험성, 비유동성, 관리의 난이성 등을 장기적으로 고려하여 결정하였다.
시장임대료 상승률	2.0	최근 부동산의 임대료 상승률을 고려하여 결정하였다.
영업경비의 상승률	2.0	영업경비 상승률은 시중의 물가지수의 상승을 고려하여 결정하였다.
공실률 및 대손충당금 등	5.0	인근지역의 동종 부동산의 공실률 현황, 기준시점 현재의 실물경기, 본 물건의 개별적인 특성을 종합하여 공실률 및 대손충당금비율을 결정하였다.
영업경비비율	10.0	관리비의 100%가 실비로 지출되는 것 이외에 수취하는 보증금 및 월임대료 대비 공조공과 등에 소요되는 비용을 결정하였다.
매도비용 (예정매도가액 대비)	1.0	중개수수료 및 통상의 부대비용 등을 고려하여 결정하였다.
전형적인 보유기간	5년	–

자료 8 기타사항

최종 수익가액은 반올림하여 백만원 단위까지 표시한다.

토지잔여법에 의하여 토지의 수익가치를 결정하시오. 10점

자료 1 기준시점 : 2025년 4월 6일

자료 2 본건 현황

1. 토지 : 서울특별시 K구 Y동 100, 대, 200㎡, 제2종일반주거지역
2. 위 지상건물 : 철근콘크리트조, 근린생활시설 및 주거용, 2012년 5월 1일 준공
3. 건물의 면적 : 근린생활시설 부분 500㎡, 주거용부분 200㎡
4. 건물의 경제적 내용연수 : 50년, 최종잔가율 : 0%
5. 건물의 재조달원가(부대설비 보정단가 포함) : 근린생활시설 ㎡당 900,000원, 주거용부분 ㎡당 1,200,000원

자료 3 임대차내역

1. 보증금 : 100,000,000원
2. 월임대료 : 9,000,000원
3. 월관리비 : 임차인 실비정산

자료 4 경비내역

1. 유지수선비 : 월 1,500,000원
2. 공조공과 : 연간 5,000,000원
3. 기타운영경비(월간) : 월임대료의 10%(가능총수입기준)

자료 5 기타자료

1. 표준적인 공실률 : 5.0%
2. 환원이율 : 토지(5.00%), 건물의 상각후환원이율(6.50%)
3. 보증금운용이율 : 연간 3.0%
4. 자본회수는 직선법을 채택한다.

감정평가사 A 씨는 다음의 토지를 토지잔여법으로 감정평가(토지의 자산재평가 목적)하고자 한다. 2025년 8월 31일을 기준시점으로 하여 대상토지만의 가격을 산정하시오. 20점

자료 1 대상부동산

1. 소재지 : S시 K구 B동 ○○번지
2. 토지 : 대, 1,200㎡, 21m 도로에 접하는 장방형, 평지
3. 건물 : 위 지상 철근콘크리트조 업무용 5층 건물, 연면적 1,900㎡, 임대계약면적 1,900㎡
4. 용도지역 : 일반상업지역
5. 기타 : 전체 건물 단일임차, 최유효이용

자료 2 대상부동산의 현황자료

1. 임대자료
   (1) 임대기간 : 2025.9.1. ~ 2035.8.31.(10년)
   (2) 수입 및 지출내역 등
      1) 수입 및 지출내역
      감정평가사 '甲'씨는 현장조사 결과 대상부동산의 운영에 따른 아래의 수입 및 지출자료를 확보하였다.

수입내역		연간 지출내역	
임대료*	120,000,000원/월 지급	유지관리비	400,000,000원
보증금 운용익	10,000,000원/년	공과금	10,000,000원
선불적 성격의 일시금(권리금)	300,000,000원 (10년)	부가물설치비용	6,000,000원
		손해보험료*	50,000,000원
관리비	1,000,000원/월	재산세(지방교육세 포함)	7,000,000원
		종합부동산세	5,000,000원
		취득세	10,000,000원
		등기세	5,000,000원
		양도소득세	20,000,000원
		대손 및 공실손실상당액	총수입의 2%
		자기자금이자상당액	150,000,000원
		정상운전자금이자	50,000,000원
		소득세	100,000,000원
		동산세금	500,000원
		법인세	30,000,000원

*감가상각비는 별도로 추계한다(감가상각은 건물의 잔존가치에 대하여 향후의 잔존내용연수에 대응하는 감가상각비를 추계하되, 정액법에 의한다).

2) 추가조사사항(* 표시항목에 대함)

항목	조사사항
임대료	선급 임대료 별도
손해보험료	보험기간 5년, 5년 말 원금의 10%에 대하여 연간 보험이자율인 5% 이자를 가산하여 환급

2. 대상건물 관련 자료
   (1) 신축 당시 재조달원가 : 3,000,000,000원
   (2) 기준시점 재조달원가 : 3,500,000,000원
   (3) 기준시점 평가액 : 3,150,000,000원
   (4) 전 내용연수 : 50년
   (5) 잔존내용연수 : 45년
   (6) 기간 말 잔존가치 : 0

자료 3 임대사례자료

1. 토지 : S시 K구 B동 573번지, 대, 1,150㎡
2. 건물 : 위 지상 철근콘크리트조 5층 업무용 건물, 연면적 2,200㎡, 임대계약면적 2,200㎡
3. 용도지역 : 일반상업지역
4. 임대시점 : 2024년 4월 1일
5. 임대내역
   (1) 지불임료 : 1,400,000,000원/년(관리비 포함)
   (2) 보증금 : 지불임료의 12개월분
6. 기타사항 : 정상적인 신규임대사례임, 전체 건물 단일임차

자료 4 시점수정자료

1. 지가 및 건축비 변동률(%)
   (1) 지가변동률(2025년 7월) : 당월 0.259%, 누계 2.097%
   (2) 건축비는 월 0.2%씩 상승함을 가정한다.

2. 생산자물가지수(부동산임대료 항목)

구분	임대료지수(신규)
2024.03.	104.50
2024.04.	104.60
2025.07.	107.00
2025.08.	미고시

자료 5 요인비교자료

토지의 개별요인		건물의 개별요인(잔가율 포함)	
대상	임대사례	대상	임대사례
100	97	98	97

자료 6 각종 이율 관련 자료 등

1. 보증금운용이율 : 10%

2. 토지환원이율 : 12%

3. 건물상각 후 환원이율 : 13%

4. 단위면적당 총수익은 천원 단위까지 산정할 것

5. 할인율 : 연 10.0%

6. 본건 및 사례는 모두 층별 임대료의 격차는 없다.

C시에 살고 있는 李 씨는 부동산을 매입하기 위해 다음과 같은 자료를 수집하였다. 수집된 자료를 참고로 하여 토지의 수익가액을 구하시오. 10점

자료 1 대상물건자료

1. 지목·지적 : 대, 400㎡
2. 기준시점 : 2025년 6월 8일
3. 기준가치 : 시장가치
4. 용도지역 : 준주거지역
5. 대상은 현재 주상용으로 이용 중이며, 주위환경은 근린생활 및 주택이 밀집해 있는 주상지대임.
6. 본건 건물의 사용승인일은 2016년 5월 4일이다.

자료 2 본건 임대내역

구분	바닥면적(㎡)	용도	보증금	월임대료	월관리비
지하 2층	200	기계실, 주차장	–	–	–
지하 1층	300	근린생활	50,000,000	1,500,000	–
1층	300	근린생활	150,000,000	3,500,000	–
2층	300	근린생활	100,000,000	2,000,000	–
3층	300	주거용	100,000,000	1,500,000	300,000
4층	300	주거용	100,000,000	1,500,000	300,000
총계	1,700	–	500,000,000	10,000,000	600,000

*근린생활부분 관리비는 임차인 실비 정산함.
*본건 건물은 철근콘크리트조 3급에 해당한다.
*인근지역의 표준적인 공실률은 5%로 조사되었다.
*영업경비는 전체 EGI 대비 10% 정도가 소요될 것으로 예상된다.

자료 3 신축단가표 등

용도	구조	급수	표준단가 (원/㎡)	비고
기계실, 주차장	철근콘크리트조	–	–	근린생활시설 부분의 70% 적용
근린생활시설	철근콘크리트조	2	600,000	–
		3	450,000	–
주택	철근콘크리트조	2	700,000	–
		3	500,000	–

자료 4 경제적 내용연수

구분	경제적 내용연수
철근콘크리트조	50년

자료 5 기타 참고사항

인근의 표준적 토지환원이율은 10%, 건물상각 전 환원이율은 7%이며 보증금운용이율은 4%로 조사되었다.

감정평가사 A 씨는 ㈜Y로부터 해당 기업이 소유하고 있는 수익성 부동산의 토지에 대한 자산재평가 목적의 감정평가를 의뢰받았다. 아래 복합부동산 중 토지부분에 대한 감정평가액을 결정하시오. 15점

자료 1 기준시점 : 2025년 1월 1일

자료 2 본건의 현황 및 임대차내역

1. 물적 내역
   (1) 토지 : S시 K구 S동 100, 일반상업지역, 부지면적 1,300㎡
   (2) 건물 : 철근콘크리트조 슬래브지붕, 근린생활시설, 연면적 6,000㎡ (준공연월일 – 2019년 1월 1일)
   (3) 건물은 최유효이용이다.
   (4) 경제적 내용연수 : 50년, 최종잔가율 : 0%

2. 임대기간 : 기준시점으로부터 3년

3. 소득 및 경비내역(총액)
   (1) 지급임대료 : 매월 초 1,500,000원
   (2) 예금적 성격의 일시금 : 지급임대료(기초)의 12개월분
   (3) 선금적 성격의 일시금 : 지급임대료(기초)의 12개월분
   (4) 대손준비비 및 공실손실상당액 : 실질임대료의 5%
   (5) 화재보험료 : 임대개시시점에서 총 1,000,000원을 지급(임대기간분)하고 화재가 발생하지 않는 경우 납입금액의 30%를 환급하는 조건임(화재는 일어나지 않을 것으로 가정함).
   (6) 공조공과 : 연 1,000,000원
   (7) 기타의 경비내역(감가상각비 제외) : 연 1,000,000원이며, 임차자와 임대인이 반반씩 부담하기로 함.

자료 3 기타자료

1. 건물의 ㎡당 재조달원가 : 기준시점 현재 30,000원/㎡
2. 보증금운용이율은 3%, 시장이자율은 5%로 조사되었다.
3. 감가상각비는 별도로 산정하도록 함.

자료 4 자본환원율

1. 토지의 환원이율 : 7%
2. 건물의 환원이율(상각 후) : 9%

감정평가사 K 씨는 아래의 토지에 대한 수익환원법에 의한 감정평가를 진행하고 있다. 제시된 현금수지를 활용하여 감정평가액을 결정하시오. 20점

자료 1 해당 토지의 개황

소재지	지목	면적(㎡)	용도지역	도로조건	형상 및 지세
경기도 S시 B구 A동 500	대	1,000	제2종일주	광대한면	사다리, 평지

※해당 지상의 건물 내역 : 해당 토지상의 건물에 대한 등기사항전부증명서 및 건축물관리대장은 열람되지 않음.

자료 2 해당 토지의 건축허가내역(출처 : 건축허가서)

층수	허가용도	면적(㎡)	구조
1	근린생활시설(일반음식점)	400	철근콘크리트조
2	근린생활시설(일반음식점)	400	철근콘크리트조
3	근린생활시설(사무실)	400	철근콘크리트조
4	근린생활시설(사무실)	400	철근콘크리트조
소계		1,600	-

자료 3 해당 건물 준공 시 예상되는 임대료

1. 사무실의 경우 ㎡당 @10,000원의 월임대료를 수취할 수 있을 것으로 판단되며, 보증금은 월임대료의 10배 수준이다. 관리비는 ㎡당 @5,000원이다.
2. 1~2층의 일반음식점의 경우 전문 커피브랜드에 임대차가 될 예정이며, 보증금은 100,000,000원이며 부가가치세를 제외한 매출액의 15%를 임대료로 지급하게 될 예정이다. 해당 업장은 개점 시 예상되는 월매출액은 60,000,000원 수준으로 예상된다. 관리비는 ㎡당 @5,000원이다.

자료 4 각종 예상 경비

1. 일반관리비 및 시설관리비 : ㎡당 월 500원
2. 용역인건비 : 월 2,500,000원

3. 재산세(토지 및 건물분 합산) : 연간 30,000,000원
4. 손해보험료 : 연간 기준으로 계약하며 연간 3,000,000원 예상됨.
5. 소유자 예상 종합부동산세 : 연간 50,000,000원(해당 토지, 건물 취득 시 증분 종합부동산세)
6. 임대사업소득에 대한 종합소득세 : 연간 순수익의 30%
7. 차입에 따른 이자 : 월 15,000,000원(원금납입별도)

자료 5 건물의 표준적인 가액

구분	용도	재조달원가(원/㎡)	내용연수
철근콘크리트조	주거용	1,500,000	50
철근콘크리트조	상업용	1,200,000	50

자료 6 환원이율

구분	토지	건물(상각전)
환원이율	4.0%	6.0%

자료 7 그 밖의 사항

1. 건축허가내역은 해당 토지의 합리적, 물리적, 합법적이면서 경제적인 타당성을 충족하는 최유효이용이다.
2. 보증금에 대한 운용이익 : 2.0%
3. 인근 근린생활시설의 표준적인 공실률 : 5.0%

다음에 제시하는 자료를 활용하여 대상부동산을 감정평가하시오. 25점

자료 1 대상부동산

1. 소재지 : A시 B동 50
2. 지목, 면적 : 대(나지), 320㎡
3. 용도지역 : 일반상업지역
4. 상업·업무용 건물의 부지로 이용하는 것이 적정할 것으로 판단되며, 건축허가 내역은 아래와 같다.
5. 건축허가내역
   (1) 구조 : 철근콘크리트조 슬래브지붕 3층(사무실)
   (2) 건축연면적 : 680㎡
   (3) 내용연수 : 50년
   (4) 준공시점 : 2026년 1월 30일(예정)
   (5) 예상건축비 : ㎡당 180,000원(기준시점 재조달원가)
6. 건축허가서상 건물은 최유효이용이다.

자료 2 거래사례자료

구분 / 사례	소재지	유형	용도지역	거래시점	면적구조	거래가격(천원)	평가에 고려할 사항
사례 1	A시 B동 72	나지	일반상업	2025.1.1.	대 : 300㎡	220,000	• 친족 간의 거래 • 시가보다 다소 저가로 거래
사례 2	A시 C동 85	토지 건물	일반상업	2025.5.10.	대 : 350㎡ 건물 : 철근콘크리트 슬래브지붕, 3층(사무실), 연면적 : 720㎡	300,000	• 정상적인 거래로 판단됨 • 건물준공시점 : 2020.5.14. • 내용연수 : 50년 • 준공 당시 건축비 : 110,000원/㎡ • 경과연수는 만년으로 계산할 것
사례 3	A시 D동 86	토지 건물	2종일주	2025.5.1.	대 : 250㎡ 건물 : 목조기와지붕, 1층(주택), 연면적 : 90㎡	55,000	• 건물준공시점 : 2023.5.1. • 내용연수 : 50년 • 준공 당시 건축비 : 225,000원/㎡ • 주택이 최유효이용이다.

자료 3 대상물건의 예상임대상황

1. 임대보증금 : 120,000,000원
2. 지급임대료(월) : 4,500,000원
3. 인근의 표준적 공실률은 5%로 조사되었다.
4. 운영경비 내역

유지관리비	3,800,000원
제세공과금	3,600,000원
손해보험료	650,000원
결손준비비	480,000원

※감가상각비는 별도 산정할 것

자료 4 표준지공시지가 자료(2025년 1월 1일)

기호	소재지	지목	이용상황	용도지역	공시지가 (원/㎡)
1	A시 B동 52	대	상업용	일반상업	520,000

자료 5 지가변동률 및 생산자물가지수

1. 지가변동률(%)

구분	2025.1.	2025.2.	2025.3.	2025.4.	2025.5.
상업지역 (누계)	3.215 (3.215)	2.310 (5.560)	1.120 (6.782)	0.235 (7.033)	2.300 (9.494)
주거지역 (누계)	1.000 (1.000)	1.200 (2.212)	0.700 (2.927)	0.800 (3.751)	0.900 (4.685)

2. 생산자물가지수

구분 \ 기준일	2019. 4월	2020. 4월	2021. 4월	2022. 4월	2023. 4월	2024. 4월	2025. 4월
생산자물가지수	100.0	116.0	117.0	118.0	119.0	120.0	128.0

자료 6 지역요인 비교치

B동 상업용의 지가수준은 550,000원/㎡~670,000원/㎡, C동은 580,000원/㎡~700,000원/㎡, D동은 530,000원/㎡~650,000원/㎡으로 조사되었으며, 지역 간 격차를 산정할 때에는 각 동의 지가수준의 중위치 값으로 비교하며 같은 동끼리는 인근지역으로 보도록 한다.

자료 7 토지의 개별요인 비교치

대상물건	표준지	거래사례 ①	거래사례 ②	거래사례 ③
100	102	105	98	60

자료 8 기타 참고자료

1. 토지의 환원이율 : 13%
2. 건물의 상각 후 세공제 전 환원이율 : 15%
3. 임대보증금 운용이율 : 4%(년)
4. 건물의 최종잔가율 : 10%
5. 비준가액 산정을 위한 거래사례자료는 가장 유사성 있는 사례 한 가지만 선택하여 활용하시오.
6. 기준시점은 2025년 6월 1일이다.
7. 공시지가기준법 적용 시, 그 밖의 요인보정치는 1.10을 사용함.
8. 공사기간이 단기임을 고려하여 토지잔여법 적용 시 예상임대 내역대로 기준시점에 계약되는 것으로 가정한다.

QUESTION 51

다음 자료를 이용하여 대상토지를 감정평가하시오. 25점

자료 1 기본적 사항

1. 평가대상물건
   (1) 토지 : C시 H구 C동 210번지, 대 500㎡
   (2) 건물 : 위 지상 시멘트벽돌조 슬래브지붕 단층 주택 120㎡
2. 기준가치 : 시장가치
3. 평가목적 / 기준시점 : 일반거래 목적 / 2025년 8월 1일

자료 2 대상부동산에 관한 자료

1. 대상부동산은 일반상업지역, 방화지구에 위치하며 기타 공법상 제한사항은 없음.
2. 대상 주택은 1969년에 건축되었는바, 노후화가 심하고 유지·관리상태가 불량하며 인근지역과의 적응성도 많이 떨어지므로 최유효이용의 관점에서 철거 후 상업용 건물을 신축함이 합리적이라고 판단됨.
3. 대상부동산은 중로한면에 접하는 장방형의 평지임.

자료 3 인근지역의 상황

대상부동산의 인근지역은 원래 주거지역으로서 단독주택이 많이 분포하는 지역이었으나 지하철이 개통되면서 상업용 건물의 신축이 간간히 이루어지다가 2024년 7월 1일에 용도지역이 일반상업지역으로 변경·고시되면서 상업용 건물의 신축이 활발히 이루어지고 있다. 이 지역의 건폐율은 80%이고 용적률은 400%임.

자료 4 표준지공시지가 자료(공시기준일 2025년 1월 1일)

기호	소재지	면적	지목	용도지역	이용상황	도로교통	형상지세	공시지가(원/㎡)
1	D동 125	750	대	일반상업	상업용	중로각지	장방형, 평지	2,600,000
2	D동 333	961	대	중심상업	상업용	중로각지	장방형, 평지	2,500,000
3	C동 121	370	대	일반상업	단독주택	소로한면	장방형, 평지	1,900,000
4	C동 232	441	대	일반상업	상업용	중로각지	정방형, 완경사	2,100,000
5	C동 277	630	대	일반상업	주상용	중로한면	장방형, 평지	2,240,000

자료 5 거래사례 및 평가선례

1. 거래사례
   (1) 토지 : C시 H구 D동 204번지, 대, 450㎡
   (2) 건물 : 위 지상 철근 콘크리트조 슬래브지붕 5층 점포 및 사무실
   건축연면적 1,800㎡
   (3) 거래시점 / 매매가액 : 2024.7.1. / 2,300,000,000원(별도의 사정개입 없음)
   (4) 사례는 일반상업지역 내 위치하며 중로각지에 접하며 장방형 완경사임.

2. 평가선례(그 밖의 요인보정치 산정자료)

기호	소재지	지목 (이용상황)	용도지역	도로교통	형상지세	평가액 (원/㎡)	기준시점
1	C동 220	대 (상업용)	일반상업	중로각지	부정형 평지	2,610,000	2025.6.1.
2	C동 120	대 (주거용)	일반상업	중로한면	장방형 평지	2,400,000	2025.1.1.

자료 6 대상부동산의 최유효이용 시 개발계획

1. 건축계획
   (1) 부지면적 : 500㎡
   (2) 건폐율과 용적률 : 80%, 400%(면적 각 층 동일)
   (3) 건축구조 및 용도 : 철근콘크리트조 슬래브지붕 5층 점포 및 사무실(4, 5층)
   (4) 전유면적(분양, 임대가능면적)비율 : (각 층의) 60%

2. 개발계획표(기준시점 기준 경과개월)

기준시 이후	1월	2월	3월	4월	5월	6월	7월	8월	9월	10월	11월	12월
건축허가	──	──										
건축공사			──	──	──	──	──	──	──	──		
분양							──	──	──	──	──	──

3. 분양계획안
   (1) 인근지역에 있어서 대상건물과 유사한 규모와 구조를 갖는 건물의 분양사례를 조사한 결과 최근에 정상적인 분양사례의 1층이 전유면적당 4,000,000원에 분양(층별분양가는 다름)되었음이 확인되었으며 이를 분양가격으로 사용하기로 함.
   (2) 또한 분양판매금은 분양시작시점에서 분양 총액의 50%가, 분양시작으로부터 6개월 후에 50%가 회수될 것으로 판단됨.

4. 기타
   (1) 판매관리비는 분양 총액의 8%이며 분양개시시점과 분양완료시점에 각각 50%가 지출됨.
   (2) 건축공사비는 공사착수시에 40%를 지불하고 공사완료 시 나머지를 지불하기로 함.
   (3) 투하자본수익률은 월 0.5%로 함.

자료 7 인근지역의 층별 효용비

층	1층	2층	3층	4층	5층
층별 효용비	100	67	55	52	52

자료 8 건물에 관한 자료

구분		대상		거래사례	건축사례
		현재	최유효이용 시		
준공 일자		1969		2023.7.20.	2024.7.20.
건축연면적(㎡)		120	–	1,800	2,080
부지면적(㎡)			500	450	520
시공 정도			중급	중급	중급
기준시점 현재 잔존내용연수	주체부분		50	48	49
	부대설비		20	18	19
도시계획관계			일반상업 방화지구	일반상업 방화지구	일반상업 방화지구
건물과 부지의 관계			최유효이용	최유효이용	최유효이용
개별요인			100	98	101
건축비(원/㎡)					700,000

1. 주체부분과 부대설비부분의 가격비율은 60 : 40임.
2. 감가수정은 정액법에 의한 만년감가로 하며 잔가율은 0임.
3. 건축사례의 건축비는 동유형 건축물의 평균단가로서 C시 H구의 표준적인 것임.

자료 9 시점수정에 관한 자료

1. 지가변동률(%, C시 H구 상업지역)

2024년		2025년	
6.1. ~ 6.30.	7.1. ~ 12.31.	1.1. ~ 6.30.	6.1. ~ 6.30.
0.594	3.616	5.018	1.800

2. 생산자물가지수

2023.7.	2024.6.	2024.7.	2025.1.	2025.7.
95.11	99.87	105.11	108.28	112.79

자료 10 지역요인자료

C시 H구 C동 지역 내는 지역적 격차는 없는 것으로 조사되었으며, D동은 성숙도 등에 있어서 C동보다 5% 우세한 것으로 조사되었다.

자료 11 개별요인자료

1. 지세

구분	저지	평지	완경사	급경사	고지
저지	1.00	1.02	0.93	0.82	1.80
평지	0.98	1.00	0.91	0.80	0.78
완경사	1.08	1.10	1.00	0.87	0.85
급경사	1.23	1.25	1.15	1.00	0.98
고지	1.26	1.28	1.18	1.03	1.00

2. 형상

구분	정방형	장방형	부정형
정방형	1.00	0.98	0.91
장방형	1.02	1.00	0.93
부정형	1.10	1.08	1.00

3. 도로

구분	중로각지	중로한면	소로각지	소로한면
중로각지	1.00	0.96	0.83	0.80
중로한면	1.04	1.00	0.86	0.83
소로각지	1.20	1.16	1.00	0.96
소로한면	1.26	1.21	1.05	1.00

자료 12 기타사항

1. 대상건물의 철거비는 15,000원/㎡이며 잔재가치는 없다.
2. 시중금리는 연 6%(월할 시 0.5%)임.
3. 모든 개별요인은 상승식을 기준한다.

감정평가사인 A 씨는 기준시점 현재 지상건물의 건축 중에 있는 토지에 대한 시장가치 평가를 의뢰받고, 가능한 가격자료를 수집하여 다음과 같이 정리하였다. 제시된 자료를 바탕으로 대상토지에 대한 다음 물음에 답하시오. 30점

- **물음 1** 공시지가기준법으로 평가하시오.
- **물음 2** 거래사례비교법으로 평가하시오.
- **물음 3** 수익환원법으로 평가하시오.
- **물음 4** 조성원가법으로 평가하시오.
- **물음 5** 위 (물음 1)~(물음 4)에서 구한 각 방법별 시산가액을 조정하여 대상토지의 감정평가액을 결정하시오.

자료 1 기본적 사항

1. 평가대상토지 : S시 K동 110번지 전 420㎡
2. 평가목적 : 담보
3. 기준시점 : 2025년 1월 15일

자료 2 대상토지

1. 용도지역 및 지목 : 계획관리지역, 전
2. 도로교통 : 조성 전 세로(불), 조성 후 세로(가)
3. 지형 및 지세 : 조성 전・후 모두 부정형, 평지
4. 개별공시지가 : 2023년 150,000원/㎡, 2024년 200,000원/㎡
5. 기타사항
   (1) 대상토지는 2024년 3월 1일 (주)서울에서 공장신설용 부지로 사용하기 위해 현지인으로부터 250,000원/㎡에 매입하였음.
   (2) (주)서울은 2024년 3월 1일에 해당 토지를 구입하여 2024년 5월 31일자로 농지전용허가를 득하였으며, 허가 다음 날 조성을 시작하여 2024년 12월 1일에 공장용지조성을 완료하고 기준시점 현재 공장건축허가를 득한 상태임.
   (3) 조성원가법 사용 시 매입토지의 소지매입가를 공시지가기준법, 거래사례비교법으로 적정성을 검토하시오. 공시지가기준법 적용 시 그 밖의 요인보정치는 1.00을 적용하도록 함.

자료 3 **인근 공시지가**(공시기준일 : 2024년 1월 1일)

일련번호	소재지	면적(㎡)	지목	용도지역	이용상황	도로교통	형상지세	공시지가(원/㎡)
1	S시 K동 100	510	전	계획관리	공업용	세로(가)	사다리형 평지	400,000
2	S시 K동 200	380	전	계획관리	전	세로(불)	부정형 평지	250,000
3	S시 K동 300	600	장	일반공업	공업용	세로(가)	사다리형 평지	500,000

자료 4 **평가선례**(그 밖의 요인보정치 산정자료)

일련번호	소재지	면적(㎡)	지목(이용상황)	용도지역	도로교통	형상지세	평가금액(원/㎡)	기준시점
A	S시 K동 180	650	전(전기타)	계획관리	세로(가)	사다리형 완경사	265,000	2025.1.5.
B	S시 K동 50	310	전(공업용)	계획관리	세로(가)	장방형 완경사	550,000	2024.12.1.
C	S시 K동 210	400	장(공업용)	일반공업	소로한면	정방형 평지	600,000	2024.12.25.

자료 5 **지가변동률**(S시, 단위 : %)

구분	공업지역	녹지지역	계획관리지역	농림지역
2024년 1월	0.052	0.875	0.352	0.332
2024년 2월	0.054	0.657	0.317	0.151
2024년 3월	0.102	0.124	0.332	0.226
2024년 11월	0.045	0.265	0.562	0.236
2024년 12월	0.015	0.320	0.425	0.155
2024년 누계	1.250	3.500	4.150	2.120

자료 6 **거래사례**

1. 거래사례 A
   (1) 소재지 : S시 K동 50번지 전 500㎡
   (2) 거래시점 : 2024년 3월 1일
   (3) 거래가격 : 120,000,000원

(4) 본 사례는 정상적인 거래로서, 거래 당시 현지인이 '전(田)'으로 사용 중이었음.
(5) 계획관리지역, 세로(불), 부정형, 완경사

2. 거래사례 B
   (1) 소재지 : S시 K동 70번지 공장용지 520㎡
   (2) 거래시점 : 2024년 11월 1일
   (3) 거래가격 : 360,000,000원
   (4) 본 사례는 실수요자 간의 정상거래된 사례임.
   (5) 계획관리지역, 세로(가), 부정형, 평지
   (6) 본 사례토지상에 블럭조 슬레이트 공장건물(연면적 300㎡)이 소재하며, 이는 2018년 9월 10일에 신축된 것임(내용연수 : 40년).

자료 7 임대사례

1. 임대기간 : 2024년 1월 1일~2026년 12월 31일
2. 임대내역
   (1) 토지 : S시 K동 150번지, 계획관리지역, 공장용지, 421㎡
   (2) 건물 : 경량철골조 판넬지붕 공장(연면적 310㎡)
   (3) 임대수입
      ① 보증금 : 40,000,000원
      ② 지불임대료 : 65,000,000원(3년간 총액)
         ※(주) 지불임대료는 3년치 일시불을 임대개시시점에 지불하는 조건임.
   (4) 필요제경비(연간)
      ① 보험료 : 300,000원(전액 소멸성)
      ② 공조공과 : 200,000원
      ③ 공실손실상당액 : 500,000원
      ④ 유지관리비 : 1,000,000원
      ⑤ 부가사용료 : 2,500,000원(임차인 부담)
3. 기타사항
   (1) 건물은 2020년 12월 1일에 신축되어 (주)관악에 임대 중이며, 임대료수준은 적정한 것으로 판단됨(건물내용연수 : 30년).
   (2) 임대사례는 대상토지 대비 개별요인에서 10% 열세하다.

자료 8 본건 토지조성에 소요된 비용자료

1. 토지조성비용 : 135,000원/㎡
2. 농지보전부담금 : 관련 법령에 따른 부과금액(50,000원/㎡)
3. 제세공과금 : 1,200,000원
4. 정상이윤 : 토지조성비용의 10%
5. 토지조성비 지급조건 : 착공 시 50%, 완공 시 50%를 지급하며, 농지보전부담금 및 제세공과금은 착공 시에, 정상이윤은 공사비 지급과 동일시점에 발생하는 것으로 하되, 개발부담금은 고려하지 않음.

자료 9 건물신축단가(기준시점 현재기준)

구분	용도	신축단가(원/㎡)
블럭조 슬레이트지붕	공장	400,000
경량철골조 판넬지붕	공장	300,000

*(주) 건축비용은 지난 2년간 보합세를 유지해 왔음.

자료 10 가격요인별 비교치

1. 도로교통

구분	소로	세로(가)	세로(불)	맹지
평점	115	100	95	70

*(주) 각지는 한면에 비하여 5% 우세함.

2. 지형

구분	정방형	장방형	사다리형	부정형	자루형
평점	100	100	90	85	70

3. 지세

구분	평지	완경사
평점	105	100

자료 11 기타사항

1. 투하자본수익률, 보증금운용이율 등 각종 할인율 : 공통 연 6.0%(월할 시 0.5%)
2. 건물은 일반적으로 내용연수 만료 후 잔존가치를 0으로 처리함.
3. 임대료 변동은 별도 고려하지 않음.
4. 시점수정은 소수점 다섯 자리까지 산정함.
5. 매년 표준지공시지가의 공시일은 2월 말이다.
6. 토지환원이율, 건물상각 전 환원이율 8%로 조사되었다.

감정평가사 A 씨는 토지와 건물로 구성된 복합부동산에 대한 감정평가의뢰를 받고 사전조사 및 현장조사를 한 후 다음의 자료를 수집하였다. 주어진 자료를 활용하여 다음 물음에 답하시오. 25점

- **물음 1** 토지를 감정평가하시오.
- **물음 2** 건물을 감정평가하시오.
- **물음 3** 대상부동산의 감정평가액을 결정하시오.

자료 1 감정평가의뢰 내용

1. 공부내용
   (1) 토지 : S시 S구 B동 100번지, 대, 2,000㎡
   (2) 건물 : 철근콘크리트조 슬래브지붕 10층, 점포 및 사무실, 건물연면적 11,200㎡
   (3) 소유자 : 이○○
2. 구하는 가격의 종류 : 시장가치
3. 감정평가 목적 : 일반거래(매매)
4. 감정평가 의뢰인 : 이○○(소유자)
5. 접수일자 : 2025.1.2.
6. 현장조사일 : 2025.1.15.
7. 작성일자 : 2025.1.21.

자료 2 대상부동산에 대한 자료

1. 본건의 용도지역은 준주거지역이고 기타 공법상 제한사항은 없음.
2. 현장조사 결과 토지와 건물 모두 공부와 현황이 일치함.
3. 지목, 이용상황, 도로교통, 형상 및 지세 : 대, 상업용, 중로한면, 가장형, 평지
4. 대상물건은 최유효이용상태로 판단됨.

자료 3 인근의 표준지공시지가 현황(공시기준일 : 2024년 1월 1일)

일련번호	소재지	면적(m²)	지목	이용상황	용도지역	도로교통	형상 및 지세	공시지가(원/m²)
1	S구B동101	2,000	대	상업용	준주거	중로한면	정방형 평지	3,300,000
2	S구B동105	2,200	전	상업용	준주거	중로한면	정방형 평지	3,000,000
3	S구B동200	200	대	업무용	준주거	소로한면	가장형 평지	4,500,000
4	S구B동310	2,000	대	상업용	준주거	중로한면	가장형평지	2,800,000
5	S구B동400	1,800	대	단독주택	준주거	세로(가)	가장형평지	2,000,000

*표준지 (1)은 전부 정비구역으로 지정되어 있으며 표준지 (4)는 도시계획주차장에 100% 저촉됨.

자료 4 인근 거래사례

1. 토지 : S시 S구 B동 113번지, 대, 1,980m², 준주거지역
2. 건물 : 철골조 슬래브지붕 4층, 사무실, 건축연면적 3,300m²
3. 지목, 이용상황, 도로교통, 형상 및 지세 : 대, 상업용, 중로한면, 가장형, 평지
4. 거래가격 : 8,000,000,000원
5. 거래일자 : 2024년 12월 1일

자료 5 인근 임대사례

1. 물건내용
   (1) 토지 : S시 S구 B동 124번지, 대, 1,995m², 준주거지역
   (2) 건물 : 철근콘크리트조 슬래브지붕 8층, 점포 및 사무실, 건축연면적 9,200m²
   (3) 지목, 이용상황, 도로교통, 형상 및 지세 : 대, 상업용, 소로한면, 가장형, 평지
2. 최근 1년간 수지상황

필요제경비(연간)		임대수입(연간 및 월간)	
감가상각비	218,459,520원		
유지관리비	50,000,000원		
제세공과금	80,000,000원	보증금운용이익(연간)	210,000,000원
손해보험료	20,000,000원	월임대료 수입	85,000,000원
대손준비금	20,000,000원	주차장 수입(월간)	15,000,000원
장기차입금이자	50,000,000원		
소득세	100,000,000원		

*손해보험료는 전액 소멸성임.

자료 6 인근 건설사례

1. 수집된 건설사례는 표준적인 자료로 인정됨.
2. 기타사항은 자료 8 을 참고할 것

자료 7 지가변동률 및 생산자물가지수

1. 지가변동률(S시 S구)

구분	주거지역	상업지역	공업지역	녹지지역	계획관리
2024년 12월	0.254	0.124	0.124	0.320	1.201
2024년 누계	3.150	2.360	1.980	4.403	5.980

2. 생산자물가지수

시점	2019.4.	2019.8.	2022.4.	2024.4.	2024.7.	2024.11.	2025.1.
생산자물가지수	100.00	105.00	120.00	125.00	128.00	130.00	131.00

자료 8 대상 및 사례건물 개요

항목 \ 건물	대상건물	거래사례	임대사례	건설사례
준공연월일	2019.8.24.	2024.4.25.	2019.4.25.	2025.1.15.
건축연면적	11,200㎡	3,300㎡	9,200㎡	9,300㎡
부지면적	2,000㎡	1,980㎡	1,995㎡	2,050㎡
시공정도	보통	보통	보통	보통
기준시점 현재 잔존내용연수 주체부분 부대설치	 45 10	 50 15	 45 10	 50 15
도시계획사항	준주거지역	준주거지역	준주거지역	준주거지역
건물과 부지와의 관계	최유효이용	최유효이용	최유효이용	최유효이용
기준시점 현재 신축단가의 개별요인 비교치	98	100	100	100

*주체부분과 부대설비부분의 가액비율은 75:25임, 감가수정은 정액법에 의함, 건설사례의 준공 시 재조달원가는 720,000원/㎡(철근콘크리트조), 500,000원/㎡(철골조)임.

자료 9 토지의 특성에 따른 격차율

1. 도로접면

구분	중로한면	소로한면	세로(가)
중로한면	1.00	0.83	0.69
소로한면	1.20	1.00	0.83
세로(가)	1.44	1.20	1.00

2. 형상

구분	가장형	정방형	부정형
가장형	1.00	0.91	0.83
정방형	1.10	1.00	0.91
부정형	1.21	1.10	1.00

3. 지세

구분	평지	완경사
평지	1.00	0.77
완경사	1.30	1.00

자료 10 기타사항

1. 지가변동률은 백분율로 소수점 넷째 자리에서 반올림함.
2. 토지의 단가는 100,000원 단위 이상일 때 유효숫자 셋째 자리, 그 미만은 둘째 자리까지 표시함을 원칙으로 하되 반올림함.
3. 토지의 환원이율 : 연 10%
4. 건물의 환원이율(상각 전) : 연 12%
5. 건물의 내용연수 만료 시 잔가율 : 0
6. 인근의 공시지가 표준지는 시세를 적정히 잘 반영한 것으로 판단되므로, 그 밖의 요인보정치는 1.00을 적용하도록 한다.

감정평가사 A 씨는 서울특별시 성동구 성수동2가에 소재하는 업무용 건물 건축 중인 나대지에 대한 H은행 성수동금융센터로부터 의뢰를 받고 담보취득 목적의 감정평가를 진행하고 있다. 아래에 제시된 시장자료를 바탕으로 관련법령에 의거하여 시장가치를 감정평가하시오. 25점

자료 1 본건의 현황 등

1. 대상부동산의 개요

소재지 및 지번	서울특별시 성동구 성수동2가 280-38 외							
토지	기호	지번	면적(㎡)	지목	이용 상황	용도 지역	도로 교통	형상 및 지세
	1	280-37	58.9	공장용지	일단의 업무나지 (건축중)	준공업	일단의 광대한면	일단의 세장형 평지
	2	280-38	1,493.6	공장용지		준공업		
	3	280-39	503.6	공장용지		준공업		

2. 기준시점

대상물건의 가격조사를 완료한 시점인 2025년 8월 29일을 기준함.

3. 본건의 건축허가현황

구분	신축		
대지위치	서울특별시 성동구 성수동2가 280-38 외		
관련필지	성수동2가 280-37, 성수동2가 280-39		
〈구체적 허가내역〉			
대지면적(㎡)	2,056.1	연면적(㎡)	8,629.1
건축면적	1,078.8	용도	업무시설

자료 2 본건 인근의 시장상황

1. 본건은 광나루로에 접한 노선상가지대에 소재하고 있으며 전면으로는 상업 및 업무용 건물이 혼재하고 있고 간간이 종전의 공업용 부지가 혼재하고 있다. 본건의 후면으로는 주로 공업용으로 이용되고 있다.

자료 3 본건 건물공사비

공사비는 건물의 ㎡당 1,200,000원이 소요될 것으로 예상되며, 지하층과 지상층 동일하게 적용될 것이다.

자료 4 인근의 표준지공시지가 등(공시기준일 : 2025년 1월 1일)

1. 표준지공시지가 목록

구분	소재지 지번	지목	면적 (㎡)	이용 상황	용도지역	도로 교통	형상 지세	공시지가 (원/㎡)
A	성수동2가 280-35	대	649.9	상업기타	준공업	광대소각	사다리 평지	4,720,000
B	성수동2가 281-14	대	967.6	상업용	준공업	광대한면	사다리 평지	5,050,000
C	성수동2가 277-71	대	579.7	상업용	준공업	중로각지	사다리 평지	3,780,000

2. 본건 및 표준지공시지가의 위치도

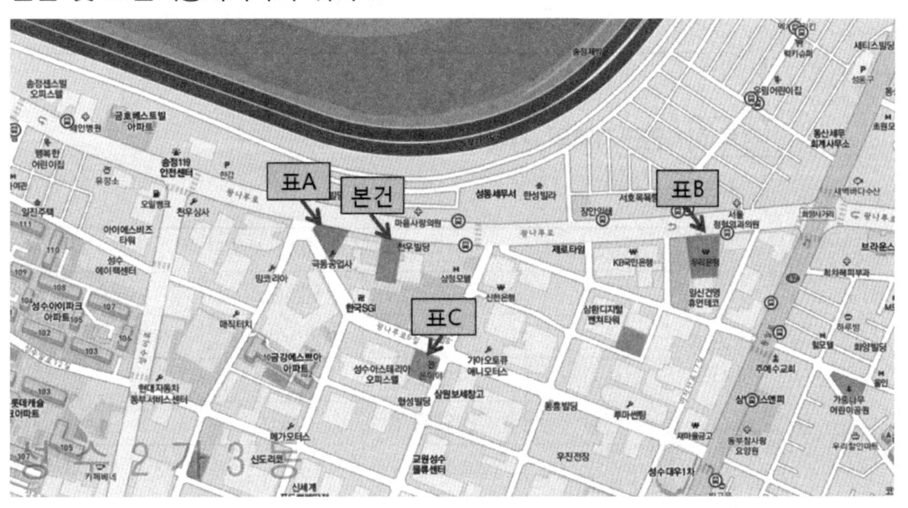

자료 5 인근지역의 평가전례 등

1. 인근지역의 평가전례

구분	소재지 지번	지목	면적(㎡)	목적	기준시점	단가(원/㎡)	용도지역	도로조건	비고
선례 1	성수동2가 277-52	공장용지	992.4	담보	2025.05.15.	6,710,000	준공업	소로한면	공업용
선례 2	성수동2가 278-18	공장용지	528.9	담보	2025.04.28.	6,450,000	준공업	소로한면	상업용
선례 3	성수동2가 280-14	대	458.8	담보	2024.08.08.	3,580,000	준공업	중로한면	상업용
선례 4	성수동2가 281-4외	대	2,187.7	담보	2024.09.30.	8,300,000	준공업	광대한면	상업용

2. 인근지역의 지가수준

용도지역	토지용도 등	가격수준	비고
준공업지역	공업 및 상업용 광나루변 전면	7,500,000~8,500,000원/㎡ 내외	위치 및 도로조건에 따라 수준 차이가 있음.

자료 6 인근지역의 거래사례

1. 거래사례 가

거래사례 ㉮	소재지	서울특별시 성동구 성수동 2가 267-77			
	구분	용도지역 / 용도	면적(㎡) / 연면적(㎡)	건물의 사용승인일	거래가격(원) / 거래시점
	토지	준공업지역	612.7	1985.07.07.	4,500,000,000
	건물	상업용	74.1		2024.08.16.
	비고	건물(자동차관련시설)은 거래시점 현재 노후화되어 가치가 없는 것으로 판단된다.			

2. 거래사례 나

거래사례 ㉯	소재지	서울특별시 성동구 성수동 2가 278-27			
	구분	용도지역 / 용도	면적(㎡) / 연면적(㎡)	건물의 사용승인일	거래가격(원) / 거래시점
	토지	준공업지역	2,060.7	2022.06.03.	30,000,000,000
	건물	업무용	8,953.3		2024.10.03.

자료 7 지가변동률

기간	변동률	비고(성동구 공업지역)
2024.08.08.~2025.08.29.	2.787%	누계치
2024.08.16.~2025.08.29.	2.714%	누계치
2024.09.30.~2025.08.29.	2.621%	누계치
2025.01.01.~2025.08.29.	1.200%	누계치
2025.04.28.~2025.08.29.	0.741%	누계치
2025.05.15.~2025.08.29.	0.641%	누계치

자료 8 개별요인 평점

1. 토지의 개별요인 평점

본건	표 A	표 B	표 C	선례 1	선례 2	선례 3	선례 4	거래㉮
100	93	107	75	65	60	75	110	95

2. 복합부동산의 개별요인 평점

본건 예정부동산	거래사례 ㉯
100	90

자료 9 기타사항

1. 할인율 : 연 6.0% 적용
2. 업무시설의 가치변동은 보합세인 것으로 본다.

감정평가사 A 씨는 (주)H은행 송파지점장으로부터 서울특별시 송파구 가락동에 소재하는 복합부동산에 대한 담보취득 목적의 감정평가를 의뢰받고 사전조사 및 현장조사를 통하여 아래의 자료를 수집하였다. 제시된 자료를 바탕으로 관련법령에 의하여 대상부동산을 감정평가하시오. 25점

자료 1 평가대상물건의 개요 및 기준시점

1. 평가대상물건의 개요

소재지	서울특별시 송파구 가락동 98-5			
토지	이용상황	용도지역	면적(m²)	비고
	상업용 건부지	일반상업지역	847.7	-
건물	이용상황	구조	연면적(m²)	사용승인일
	호텔	철근콘크리트조 슬래브지붕	4,838.25	2000.01.26.

*건물의 연면적 중 3,087.5m²는 지상층의 면적이며, 1,750.75m²는 지하층의 면적이다.

2. 기준시점 : 2025년 10월 20일

자료 2 현장조사자료

1. 주변환경
   본건 주위로 상업용 및 업무용 토지들이 혼재하며, 본건까지의 제반 차량의 접근이 가능하고 인근에 노선 및 광역버스정류장이 소재하고, 지하철 3호선 및 8호선 "가락시장역"이 위치하여 교통여건은 양호한 편이다.

2. 지세 및 형상
   본건은 세로장방형의 토지로서 인접도로 및 인접토지와 등고 평탄함.

3. 본 건물의 현황
   본건은 지상 8층, 지하 3층의 건물로서 외벽은 화강석 붙임마감, 내벽은 벽지도배 및 인테리어마감이 되어 있다.

4. 본건 및 인근토지의 지가수준

용도지역	도로조건	이용상황	지가수준(원/m²)	비고
일반상업	소로변	호텔(상업용) 및 업무용	14,500,000~16,500,000	-

자료 3 인근의 표준지공시지가(2025년 1월 1일)

1. 표준지공시지가 목록

일련 번호	소재지	면적 (㎡)	지목	용도지역	형상	지리적 위치	공시지가 (원/㎡)
			이용상황	도로교통	지세		
11710-459(A)	가락동 99-1	1,233.9	대	일반상업	정방형	전파관리소 북서측인근	14,400,000
			업무용	중로각지	평지		
11710-460(B)	가락동 77-7	875.1	대	일반상업	정방형	전파관리소 북서측인근	12,700,000
			상업용	중로각지	평지		

2. 표준지공시지가의 위치도

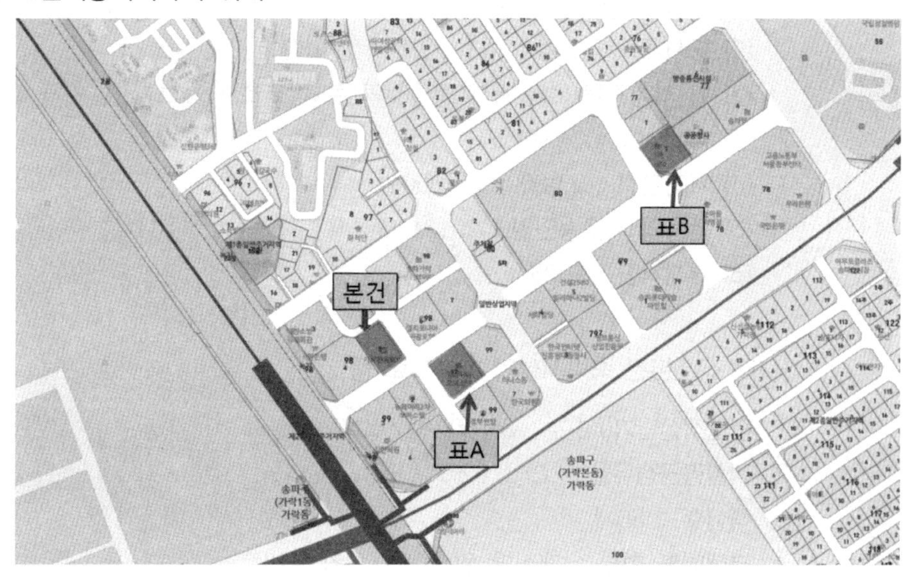

자료 4 거래사례자료

1. 거래사례 가
   (1) 소재지 : 서울특별시 송파구 가락동 80-1 및 지상건물
   (2) 도시계획사항 등 : 대지, 일반상업지역
   (3) 이용상황 : 위 지상의 주차장 관련 시설물이 설치되어 있으며, 인근의 표준적인 이용상황은 상업 및 업무용이다. 주차장관련시설은 미미할 것으로 판단된다.
   (4) 거래가격 : 19,200,000,000원
   (5) 거래수량(㎡) : 1,262.1㎡
   (6) 거래시점 : 2024.6.30.

2. 거래사례 나
   (1) 소재지 : 서울특별시 송파구 가락동 79-2 및 지상건물
   (2) 도시계획사항 등 : 대지, 일반상업지역, 843.1㎡
   (3) 위 지상건물 : 위 지상 철근콘크리트조 슬래브지붕 지하 2층, 지상 7층 숙박시설, 6,210㎡
   (4) 거래가격 : 23,000,000,000원
   (5) 건물의 사용승인일 : 2006.5.1.
   (6) 거래시점 : 2025.3.2.

3. 거래사례 다
   (1) 소재지 : 서울특별시 송파구 가락동 99-1 및 지상건물
   (2) 도시계획사항 등 : 대지, 일반상업지역, 1,240.4㎡
   (3) 위 지상건물 : 위 지상 철골철근콘크리트조 슬래브지붕, 지하 4층, 지상 5층, 대형점포, 22,141㎡
   (4) 거래가격 : 26,000,000,000원
   (5) 건물의 사용승인일 : 2013.1.5.
   (6) 거래시점 : 2025.4.1.

자료 5 본건 숙박시설의 매출자료 등

1. 평균객실단가(ADR) : 85,000원
2. 객실평균점유율(OCC) : 62%
3. 객실수 : 80개
4. 부대매출 현황 : 객실당 월 100,000원
5. 경비비율 : 유효총수익의 40%
6. 참고산식

> 숙박시설의 연 매출액
> = ADR × 연가용일수(365일) × 점유율(%) + 부대매출 × 점유율(%)

자료 6 인근지역의 감정평가선례(그 밖의 요인보정치 자료)

기호	소재지	지목	면적 (㎡)	용도지역 이용상황	감정평가액(원)	단가 (원/㎡)	평가목적 기준시점
1	가락동 98-4	대	1,756.7	일반상업 업무용	52,915,317,400	30,100,000	자산재평가 2022.12.31.
2	가락동 79-2	대	1,474.2	일반상업 업무용	34,201,440,000	23,200,000	취득처분 2022.09.26.
3	가락동 79-6	대	1,327.4	일반상업 업무용	22,831,280,000	17,200,000	취득처분 2022.06.20.
4	가락동 77-1	대	710.7	일반상업 상업용 및 업무용	10,660,500,000	15,000,000	담보 2024.10.18.

자료 7 개별요인 비교자료

1. 비교표준지, 거래사례

구분	비교대상 (대상/비교표준지, 대상/거래사례 가)	가로 조건	접근 조건	환경 조건	획지 조건	행정적 조건	기타 조건
토지	비교표준지(A)	1.00	1.00	1.00	0.97	1.00	1.00
	비교표준지(B)	1.00	1.05	1.00	0.97	1.00	1.00
	거래사례 가	1.05	1.00	1.00	1.00	1.00	1.00

2. 감정평가선례

구분	비교대상 (비교표준지/평가선례)	가로 조건	접근 조건	환경 조건	획지 조건	행정적 조건	기타 조건
토지	평가선례 1	1.20	1.10	1.00	1.00	1.00	1.00
	평가선례 2	1.10	1.00	1.00	1.00	1.00	1.00
	평가선례 3	0.95	1.00	1.00	1.00	1.00	1.00
	평가선례 4	1.00	1.05	1.05	1.00	1.00	1.00

구분	비교대상	외부요인	건물요인 (잔가율 포함)	개별적 요인
복합 부동산	거래사례 나	1.05	0.90	1.00
	거래사례 다	1.10	0.80	1.00

자료 8 본건 건축물의 재조달원가

1. 지상층의 표준단가 : 1,200,000원/㎡
2. 지상층의 부대설비보정단가 : 100,000원/㎡
3. 지하층의 표준단가 : 800,000원/㎡(부대설비 없음)
4. 경제적 내용연수 등 : 50년이며 최종잔가율은 0%이다.

자료 9 시점수정 관련 자료(%)

1. 송파구 상업지역 지가변동률

구분	지가변동률(%)
2024.06.30.~2025.10.20.	3.219
2025.03.02.~2025.10.20.	3.575
2025.01.01.~2025.10.20.	2.669
2024.10.18.~2025.10.20.	3.026
2022.12.31.~2025.10.20.	5.471
2022.09.26.~2025.10.20.	5.678
2022.06.20.~2025.10.20.	5.771

2. 인근 자본수익률

구분	매장용(%)
2025.3.2.~2025.10.20.	1.500
2025.4.1.~2025.10.20.	0.960

자료 10 기타자료

1. 최근에 거래된 수 건의 숙박시설 거래사례를 분석한 결과 거래 당시의 순수익과 거래금액과의 비율은 약 6.0% 정도였던 것으로 조사되었다.
2. 감정평가 시 관련법령에 근거하여 평가하도록 함.
3. 일괄평가에 따른 시산가액은 반올림하여 백만원 단위까지 표시한다.

QUESTION 56

감정평가사 합격 씨는 서울특별시 광진구 자양동에 위치하는 복합부동산에 대하여 (주)A의 세무서 제출용의 시가참조용 감정평가를 의뢰받고 아래의 자료를 수집하였다. 관련법령에 근거하여 아래 부동산의 시장가치를 감정평가하시오. 30점

자료 1 감정평가의 진행상황

1. 감정평가의뢰서 접수일 : 2025년 11월 1일
2. 현장조사기간 : 2025년 11월 4일 ~ 2025년 11월 5일(2일간)
3. 감정평가서 작성일 : 2025년 11월 6일
4. 감정평가서 발송일 : 2025년 11월 7일

자료 2 본건 부동산의 현황

1. 복합부동산의 일반현황

소재지	서울특별시 광진구 자양동 680-24	
토지	지목	대
	면적	1,489.5㎡
	용도지역	제1종일반주거지역, 제2종일반주거지역
	도로조건	광대한면
	형상, 지세	정방형, 평지
건물	구조	(가) 철근콘크리트조 라멘조 슬래브지붕 (나) 철근콘크리트조 라멘조 슬래브지붕
	규모	(가) 지하 2층~지상 7층 (나) 지하 1층~지상 3층
	연면적	(가) 4,028.97㎡ (나) 1,036.68㎡
	이용상황	(가) 근린생활시설 및 업무시설 (나) 업무시설
	사용승인일	(가) 2008.10.21. (나) 1992.11.21.

2. 토지이용계획확인원(온라인 열람)

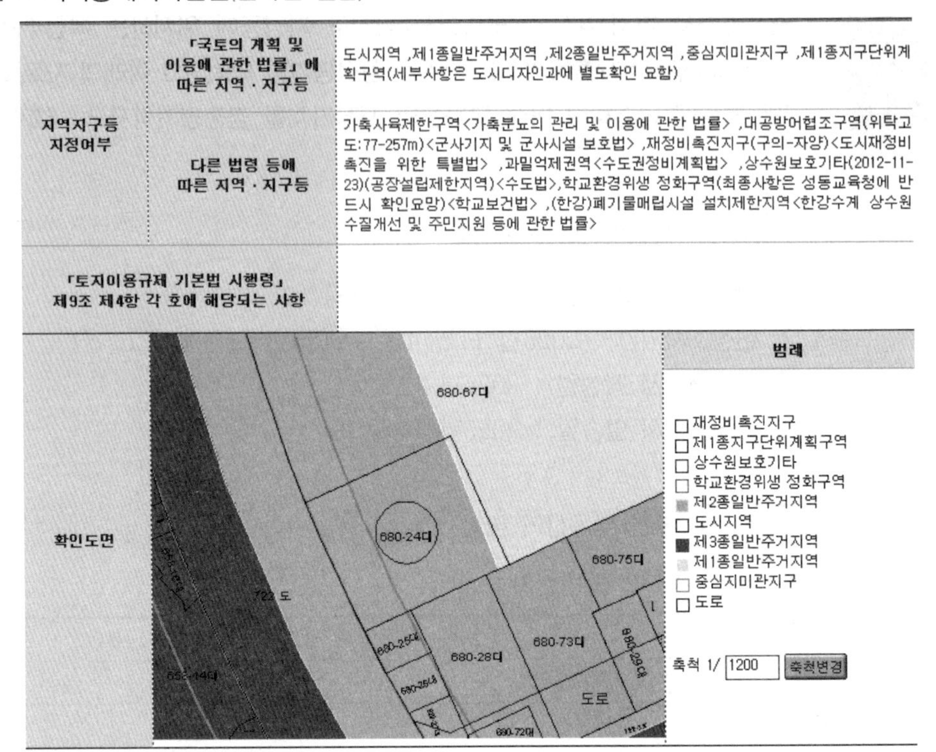

지역지구등 지정여부	「국토의 계획 및 이용에 관한 법률」에 따른 지역 · 지구등	도시지역 ,제1종일반주거지역 ,제2종일반주거지역 ,중심지미관지구 ,제1종지구단위계획구역(세부사항은 도시디자인과에 별도확인 요함)
	다른 법령 등에 따른 지역 · 지구등	가축사육제한구역<가축분뇨의 관리 및 이용에 관한 법률> ,대공방어협조구역(위탁고도:77-257m)<군사기지 및 군사시설 보호법> ,재정비촉진지구(구의-자양)<도시재정비 촉진을 위한 특별법> ,과밀억제권역<수도권정비계획법> ,상수원보호기타(2012-11-23)(공장설립제한지역)<수도법>,학교환경위생 정화구역(최종사항은 성동교육청에 반드시 확인요망)<학교보건법> ,(한강)폐기물매립시설 설치제한지역<한강수계 상수원 수질개선 및 주민지원 등에 관한 법률>
「토지이용규제 기본법 시행령」 제9조 제4항 각 호에 해당되는 사항		
확인도면		범례

3. 주변이용상황 및 가격수준

본건은 노선의 전면상가지대에 소재하고 있으며, 부근은 노선 상업 · 업무용 부동산으로 형성된 지역이다.

인근지역의 본건과 유사한 이용가치를 지니는 업무용 건부지 등의 경우 위치 및 도로조건 등에 따라 9,000,000~11,000,000원/㎡ 수준의 지가를 형성하고 있는 것으로 조사되었다.

4. 본건 건물의 임대면적 : 건물연면적의 합계와 동일하다.

5. 전체 토지 중 제1종일반주거지역이 약 50㎡이며 나머지는 모두 제2종일반주거지역이다.

자료 3 인근지역의 표준지공시지가 현황(2025년 1월 1일)

일련번호	소재지	면적(㎡)	지목	용도지역 이용상황	주변환경	도로교통	형상/지세	공시지가(원/㎡)
A	자양동 640-77	274.1	대	2종일주 상업용	후면 상가지대	중로한면	정방형 평지	4,710,000
B	자양동 680-72	331.3	대	2종일주 상업용	전면 상가지대	광대소각	세장형 평지	6,740,000
C	자양동 688-70	287.4	대	1종일주 주상용	후면 상가지대	광대한면	세장형 평지	4,170,000
D	자양동 690-17	381.7	대	2종일주 주상용	후면 상가지대	중로한면	부정형 평지	3,470,000

자료 4 시점 관련 자료

1. 지가변동률(서울특별시 광진구 주거지역 지가변동률)

기간	지가변동률	비고
2025.01.01.~2025.09.30.	1.359%	2025년 9월 누계
2025.09.01.~2025.09.30.	0.188%	9월 지가변동률

2. 생산자물가지수

구분	2024.12.	2025.4.	2025.7.	2025.10.
생산자물가지수	111.30	111.72	111.91	112.50

자료 5 인근지역의 거래사례(합리성 검토 자료)

기호	소재지	지목	이용상황	용도지역	구분	면적(㎡)	거래금액(원)
A	자양동 219-12	대	상업용	준주거	토지	289.6	2,550,000,000
					건물	750.5	
	- 2025년 1월 1일 등기부상 실거래된 신고자료임. - 건물의 사용승인일은 1998.09.18일로서 물리적 감가 이외의 기능적 감가는 없다. - 건물은 본건 건물대비 설비면에서 ㎡당 100,000원 정도 열세하다. - 대상물건은 광대한면, 부정형이다.						

B	자양동 624-26	대	상업용	2종일주	토지	202.2	2,030,000,000
					건물	642.83	
	- 2025년 1월 1일 등기부상 실거래 신고자료임. - 건물의 사용승인일은 2005.09.14.로서 건물의 기능적 감가는 없다. - 건물은 본건 건물대비 설비면에서 ㎡당 50,000원 정도 우세하다. - 대상물건은 광대한면, 부정형이다.						
C	자양동 227-17	대	업무용 및 주거용	2종일주	토지	537.9	5,700,000,000
					건물	1,800.16	
	- 2025년 1월 1일 등기부상 실거래 신고자료임. - 건물의 사용승인일은 2003.04.21.로서 건물의 기능적 감가가 추가적으로 10% 있다. - 건물은 본건 건물대비 ㎡당 50,000원 정도 열세하다. - 대상물건은 중로소각, 부정형이다.						

자료 6 인근지역의 감정평가전례(그 밖의 요인보정치 산정자료)

기호	소재지	지목 (이용상황)	용도 지역	평가 목적	평가단가 (원/㎡) (개별지가)	기준시점	비고
가	자양동 658-132	대 (상업용)	2종 일주	시가 참조	10,500,000 (5,960,000)	2025.10.02.	광대중각 정방형 평지
나	자양동 679-31	대 (상업용)	2종 일주	시가 참조	9,170,000 (6,550,000)	2024.12.04.	광대소각 부정형 평지
다	자양동 685	대 (주상용)	2종 일주	시가 참조	9,900,000 (6,410,000)	2025.05.27.	중로소각 부정형 평지

자료 7 건물의 가격자료

1. **본건 건물의 재조달원가**(기준시점) : 900,000원/㎡(지상, 지하 구분 없이 동일하게 적용할 것)
2. **최종잔가율** : 0%
3. **내용연수** : 주체부분 50년, 부대부분 25년
4. **가격구성비율** : 주체부분 70%, 부대부분 30%
5. **본건 건물의 조사자료**
   본건 건물은 2013년에 리모델링을 하여 "가동" 및 "나동" 부대부분의 유효경과연수가 5년 정도인 것으로 조사되었으며(주체부분의 잔존연수와 무관) 주체부분은 리모델링으로 인한 내용연수 보정이 불필요할 것으로 판단된다.

자료 8 본건의 수익현황

1. 현재의 임대차내역
   본건의 현재 임대차내역은 일부만 구득할 수 있었으며, 구득한 일부의 임대차내역 역시 계열사 간의 임대차내역이 대부분이었다. 대부분의 임차인의 임대차기간은 2년이다.
2. 인근의 표준적인 공실률 : 5.0%
3. 본건과 유사한 건물의 임대면적(3.3㎡)당 임대료수준은 전세보증금을 기준으로 10,000,000원이며, 일반적으로 이 전세보증금을 기준으로 보증금과 월세를 표준적인 비율에 따라 배분하여 수취하는 것으로 조사되었다.
4. 인근의 표준적 보증금 및 월세의 비율(전세보증금 대비)

구분	보증금비율	지급임대료비율
전세(100%)	20%	80%

5. 전월세전환율은 연 9.0%이다.
6. 관리비는 실비정산하며, 이와 별도로 공조공과 등 기타경비가 소요되며, 이는 유효조소득의 10% 수준인 것으로 조사되었다.
7. 각종 적용률에 대한 분석

구분	적용률
연간 임대료 상승률	2.0%
할인율(연)	6.0%
기출환원이율	7.0%
매도경비비율	2.0%
보증금운용익(연간)	3.0%
보유기간	5년

자료 9 개별요인평점

1. 토지요인평점
   (1) 도로조건

구분	광대중각	광대소각	광대한면	중로소각	중로한면
평점	110	105	100	95	90

(2) 형상조건

구분	정방형	가장형	세장형	사다리형	부정형
평점	100	98	96	94	92

2. 건물의 개별요인평점(잔가율 제외)

구분	본건	거래사례 A	거래사례 B	거래사례 C
평점	100	95	105	110

QUESTION 57

감정평가사 K 씨는 B지방법원에서 법원경매목적으로 토지에 대한 감정평가를 의뢰받고 아래의 정보를 수집하였다. 제시된 자료를 참작하여 평가대상토지의 감정평가액을 결정하시오. 25점

※ 둘 이상 용도지역의 토지의 경우 평균단가를 결정하도록 한다.
※ 토지의 감정평가 시에는 감정평가에 관한 규칙에 의한 주방식에 의하여 평가하며, 합리성의 검토는 생략하도록 한다.

자료 1 토지의 개요

기호	소재지	지번	지목	면적(㎡)	용도지역	비고
1	D리	646-36	장	5,522	계획관리 농림지역	계획관리 : 농림지역의 비율은 5:5이다.

*해당 토지는 아래의 형상으로 세장형에 가깝다.
*해당 토지의 서측(6m), 남측(4m), 북측(4m)은 각각 도로에 접하고 있음.

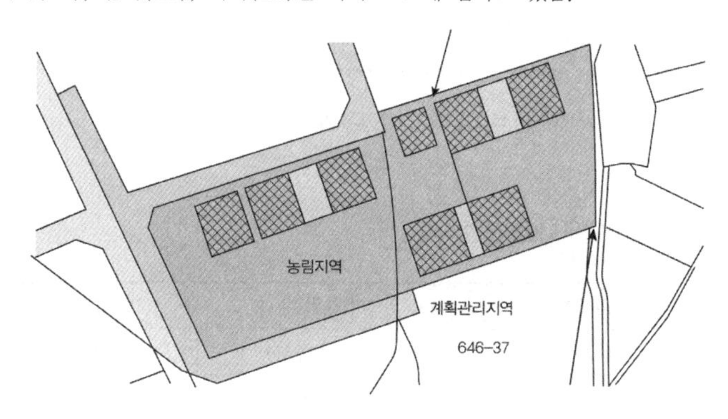

자료 2 인근지역의 표준지공시지가(공시기준일 : 2025년 1월 1일)

기호	소재지	면적(㎡)	지목	이용상황	용도지역	도로조건	형상지세	공시지가(원/㎡)
가	D리 100	1,000	공장용지	공업용	계획관리	세로(가)	가장형 평지	385,000
나	D리 200	1,000	전	전	계획관리	세로(가)	사다리 평지	185,000
다	D리 300	1,000	공장용지	공업용	농림지역	소로한면	사다리 평지	295,000
라	D리 400	1,000	대	단독주택	농림지역	세로(가)	사다리 평지	242,000

자료 3 지가변동률

구분		계획관리	농림
2024년 12월	당월	0.211	0.175
	누계	2.232	1.597
2025년 6월	당월	0.198	0.178
	누계	0.986	0.887

자료 4 개별요인 평점

1. 가로의 폭

구분	소로한면	세로(가)	세로(불)
평점	100	95	90

2. 형상

구분	가장형	세장형	사다리형
평점	100	98	96

3. 각지는 한면에 비하여 5% 우세하다.

자료 5 거래사례의 현황

구분	거래사례 1	거래사례 2	거래사례 3
소재지	D리 110	D리 120	D리 130
지목	장	장	장
토지면적(㎡)	3,000	4,000	5,000
용도지역	농림지역	계획관리지역	자연녹지지역
이용상황	공업용	공업용	공업용
도로조건	세각(가)	세로(가)	소로한면
형상	사다리형	가장형	세장형
거래가격	1,260,000,000	2,400,000,000	2,900,000,000
거래시점	2025.06.01.	2024.12.01.	2025.01.01.
건물의 용도	공업용	공업용	공업용
건물의 구조	철골조	철골조	철골조
건물의 면적(㎡)	1,000	1,500	2,000
건물의 재조달원가(원/㎡)	@450,000	@500,000	@400,000
사용승인일	2001.05.01.	2007.07.05.	2006.07.06.

자료 6 기타자료

1. 가격조사 완료일은 2025년 8월 4일이다.
2. 철골조 공장 건물의 경제적 내용연수는 40년을 기준한다.

감정평가사 A 씨는 S은행 서초중앙금융센터장으로부터 아래 부동산에 대한 담보취득 목적의 감정평가를 의뢰받고 사전조사 및 현장조사를 통하여 아래의 자료를 수집하였다. 제시된 물건의 시장가치를 감정평가하시오. 25점

자료 1 본건 토지의 내역

기호	소재지	지목	면적(㎡)	이용상황	용도지역	도로교통	형상/지세	2025년 개별지가(원/㎡)
1	서초동 1697-15	대	565.4	상업용	3종일주	소로각지	부정형 평지	8,930,000

※지하철 2호선 교대역과의 거리는 약 150m 정도이다.

자료 2 현장조사자료 및 의뢰인 제시조건

1. 대상토지는 지상에 건축허가(2025.10.3, 허가번호-2025-건축과-신축허가-55)를 득한 상태이다.

2. 건축허가서

건축구분	신축	허가번호	2025-건축과-신축허가-55
건축주	㈜코스모스 서초지점		
대지위치	서울특별시 서초구 서초동 1697-15		
대지면적	565.4㎡		
건축물명	서초동 1697-15번지	주용도	업무시설(사무소)
건축면적	233.04㎡	건폐율	49.7%
연면적 합계	1,864.35㎡	용적률	249.79%

동고유번호	동명칭 및 번호	연면적(㎡)
1	주건축물 제1동	1,864.35

*예정건물은 지하 1층, 지상 7층으로서 각 층별 면적은 동일하다.

자료 3 인근의 표준지공시지가 현황(2025년 1월 1일)

구분	소재지 지번	지목	면적(m²)	이용 상황	용도 지역	도로 조건	형상/지세	지하철역과의 거리(m)	공시지가 (원/m²)
A	서초동 1696-1	대	472	상업용	3종일주	소로각지	사다리 평지	150	9,210,000
B	서초동 1698-10	대	397.5	업무용	3종일주	소로한면	사다리 평지	160	6,610,000
C	서초동 1697-11	대	417.1	상업용	3종일주	소로한면	사다리 평지	190	7,170,000
D	서초동 1696-15	대	357.1	상업용	3종일주	중로각지	부정형 평지	70	12,200,000

자료 4 인근지역의 거래사례 현황

1. 거래사례 1

소재지	서울특별시 서초구 서초동 1698-2				
구분	용도지역	지목	면적(m²)	개별공시지가(원/m²)	거래가격(원)
	용도		연면적(m²)	사용승인일자	거래시점
토지	3종일주	대	334.6	7,300,000	5,189,950,000
	토지의 특성은 사다리형, 평지 소로각지이다. 지하철역과의 거리는 170m이다.				
건물	업무용		1,841.04	2005.12.30.	2025.05.20.
	건물은 철근콘크리트조 건물로서 재조달원가는 m²당 550,000원이며, 경제적 내용연수는 50년이다(최종잔가율 없음).				

2. 거래사례 2(본건)

소재지	서울특별시 서초구 서초동 1697-15				
구분	용도지역	지목	면적(m²)	개별공시지가(원/m²)	거래가격(원)
	용도		연면적(m²)	사용승인일자	거래시점
토지	3종일주	대	565.4	8,750,000	7,980,000,000
	토지의 특성은 부정형, 평지, 소로각지이다. 지하철역과의 거리는 150m이다.				
건물	-		-	-	2024.11.05.
	-				

3. 거래사례 3

소재지	서울특별시 서초구 서초동 1694-12				
구분	용도지역	지목	면적(㎡)	개별공시지가(원/㎡)	거래가격(원)
	용도		연면적(㎡)	사용승인일자	거래시점
토지	일반상업	대	327.1	10,500,000	5,080,000,000
	토지의 특성은 사다리형, 평지 소로한면이다. 지하철역과의 거리는 80m이다.				
건물	상업용		1,244.7	2015.10.30.	2025.02.15.
	건물은 철근콘크리트조 건물로서 재조달원가는 ㎡당 600,000원이며, 경제적 내용연수는 50년이다(최종잔가율 없음).				

자료 5 평가선례자료

기호	소재지	지목	면적(㎡)	용도지역(이용상황)	토지단가(원/㎡)	토지평가액(원)	평가목적 기준시점
1	서초동 1698-2	대	344.6	3종일주(업무용)	17,100,000	5,892,660,000	일반거래 2025.04.17.
		토지의 특성은 사다리형, 평지 소로각지이다. 지하철역과의 거리는 170m이다.					
2	서초동 1697-15 (본건)	대	565.4	3종일주(상업용)	12,400,000	7,040,960,000	담보 2024.11.08.
		토지의 특성은 부정형, 평지, 소로각지이다. 지하철역과의 거리는 150m이다.					
3	서초동 1698-13	대	394.5	3종일주(상업용)	15,800,000	6,312,000,000	담보 2024.11.24.
		토지의 특성은 정방형, 평지, 소로각지이다. 지하철역과의 거리는 130m이다.					

자료 6 위치도

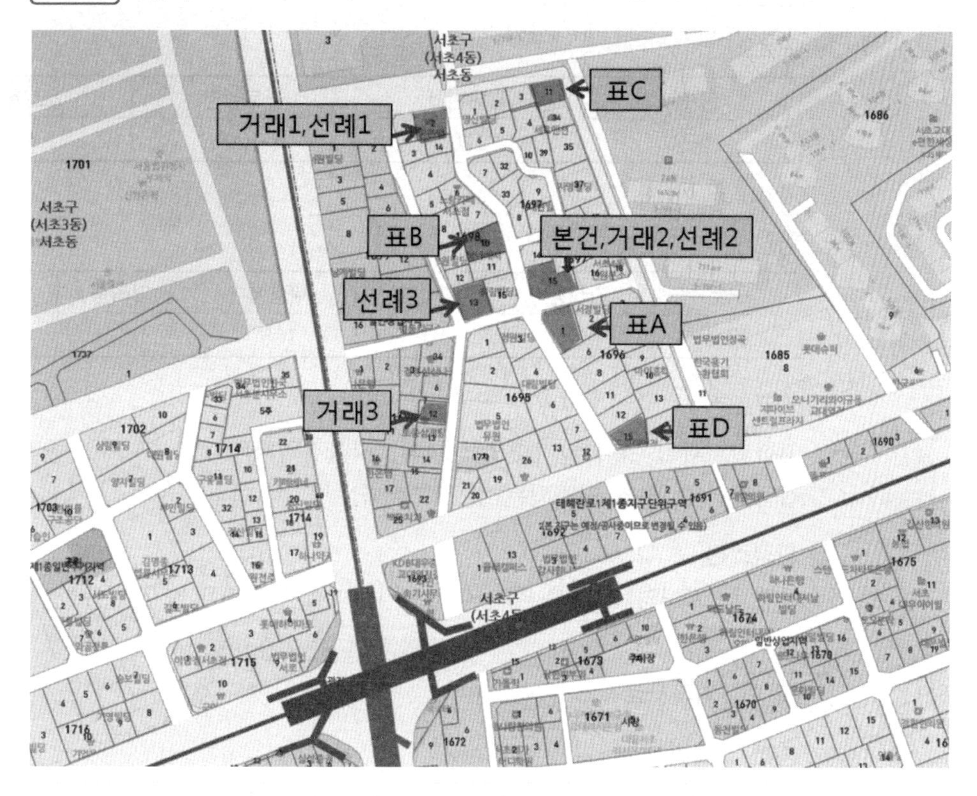

자료 7 예정건물의 임대예정내역 및 건축비 등

1. 신축건물의 공사비

   건축비는 대략 18억원에서 20억 정도가 소요될 것으로 조사되었으며, 감정평가사 A씨가 도급계약서 및 세부비용내역을 종합적으로 검토한 결과, 건축비는 ㎡당 1,000,000원으로 최종 결정됨.

2. 본건과 유사한 건물의 1층 임대사례

   본건의 예정건물과 유사한 건물의 최근 1층의 임대사례를 분석한 결과 1층의 임대료는 ㎡당 70,000원/월 정도로 형성되어 있으며, 인근의 표준적인 보증금의 비율은 월임대료의 12개월분 정도인 것으로 조사되었다.

3. 관리비는 월 4,000원/㎡를 수취할 예정이며, 관리비는 층에 따른 격차 없이 면적에 따라 동일하게 책정될 예정이며, 80%는 실비로 지출된다.

자료 8 개별요인 비교치

1. 도로조건

구분	광대한면	중로한면	소로한면
평점	120	100	80

*각지는 5% 가산함.

2. 형상

구분	가장형	정방형	세장형	사다리형	부정형
평점	110	108	105	100	95

3. 접근조건
지하철역과의 거리를 기준으로 하되, 지하철역과의 거리가 10m 증가함에 따라 접근조건은 2%씩 감소되는 것으로 본다.

4. 환경조건
본건 등 교대역 북동 측 후면의 상가지대의 환경조건은 모두 대등한 것으로 본다.

자료 9 기타자료

1. 층별 효용비

구분	지하 1층	지상 1층	지상 2층	지상 3층 이상
층별 효용비	40	100	50	30

2. 보증금운용이율 : 연 3.0%

3. 무위험률은 4.0% 정도 되며, 부동산 보유, 운영, 처분 등에 따른 위험가산율은 3.0%이다.

4. 지가변동률(서울특별시 서초구 주거지역)

기간	지가변동률(%)
2025.01.01.~2025.10.31.	3.703
2025.02.15.~2025.11.26.	3.017
2025.04.17.~2025.11.26.	2.056
2025.05.20.~2025.11.26.	2.306
2025.10.01.~2025.10.31.	0.416

*제시된 기간 이전은 모두 보합세로 본다.

5. 인근 유사토지의 지가수준

인근 상업용지
14,700,000~16,200,000원/㎡ 수준이다.

6. 각종 일정

(1) 2025년 11월 25일에 가격조사를 시작하여 동월 26일에 가격조사를 완료하였다.

(2) 감정평가서 작성일 : 2025년 11월 27일

감정평가사 A 씨는 S생명보험사로부터 서울특별시 K구 S동에 소재하는 업무시설에 대한 담보취득 목적의 감정평가를 의뢰받고 아래의 자료를 수집하였다. 관련 법령에 의거하여 아래 부동산에 대한 감정평가액을 결정하시오. 25점

자료 1 평가대상물건의 개요

1. 전체 개요

구분	내용
대지위치	서울특별시 K구 S동 502-6
건물연면적	7,857.31㎡(옥탑 제외)
건물명칭	ICT Tower
토지면적	663㎡
건물 전체 층수	지하 5층~지상 15층
건폐율	59.35%
용적률	799.93%

토지	지번	면적(㎡)	용도지역	이용상황	형상	도로조건	개별지가(원) (2025.1.1.)
토지	502-6	663	일반상업, 3종일주	업무용	가장형 평지	광대한면	15,800,000

건물	이용상황	구조	면적(㎡)	사용승인일자	층수(지상/지하)
건물	업무시설 외	철근콘크리트조 (철근)콘크리트지붕 15층	7,942.34 (옥탑 포함)	2022.09.06.	15 / 5

※본건 토지의 경우 상업지역이 전체 면적의 50%, 3종일반주거지역이 50%를 차지하고 있다.

2. 건물의 개요

구분	공부상 용도	바닥면적(㎡)	이용상황(임차인)
지상 1층~ 지상 15층	업무시설(사무소) 근린생활시설	5,491.23	◎◎게임 (주)◎◎ 등
지하 5층~ 지하 1층	주차장, 기계실, 근린생활시설	2,451.11	공실 주차장 등
소계		7,942.34	-

자료 2 인근의 비교표준지 현황(2025년 1월 1일)

기호	소재지	면적(㎡)	지목	이용상황	용도지역	형상 및 지세	도로접면	공시지가(원/㎡)
1	S동 502-12	(일단지) 469.50	대	상업용	일반상업, 3종일주	세장형 평지	광대소각	17,300,000
2	S동 514-6	(일단지) 180.8	대	상업용	3종일주	세장형 평지	소로한면	12,100,000

※표준지 1의 경우 일반상업지역이 60%, 3종일반주거지역이 40%를 차지하고 있다.

자료 3 건축물의 표준단가 등

1. 본건의 신축비자료

본건 건물은 공사 중 시공사의 부도로 인하여 공사 약 40% 정도의 시점에 약 1년 정도의 공기가 발생하였으며, 이로 인하여 종전의 시공자와 부도 이후의 시공자 간의 도급계약금액이 각각 존재함. 각 도급계약금액은 100억원, 90억원이며 부가가치세는 별도이다.

2. 건축물 표준단가표(2025년 기준)

구분	분류번호	용도	구조	급수	표준단가	내용연수
1	8-1-7-8	사무실	철근콘크리트조 슬래브지붕	2	1,550,000원/㎡	55 (50~60)
2	8-1-5-5	사무실	철근콘크리트조 슬래브지붕(5층 이하)	1	1,000,000원/㎡	55 (50~60)

3. 본건의 부대설비 보정단가

구분	규격	보정단가(원/㎡)
화재탐지설비	○	170,000원/㎡
방송설비	○	
TV공시청설비	○	
수변전설비	900KVA	
발전설비	400KW	
위생설비	○	
냉난방설비	○	
옥내소화전설비	○	
승강기설비	○	
기타설비	○	

4. 지하층 부분은 지상층 부분의 재조달원가에 80% 수준을 적용함.

5. 본건 건물의 현장조사내역

   본건 건물은 공기조화(순환)설비의 일부 장비가 존재하지 않아 인근의 다른 건물에 비하여 m²당 월 500원 정도의 영업경비가 추가로 소요되고 있다. 이를 치유하기 위한 견적을 받아본 결과 부가가치세(VAT)를 제외하고 300,000,000원이 소요될 것이라는 회신을 받았다.

   이 설비는 신축 당시 설치하였다면 건물의 m²당 10,000원 정도가 소요되는 설비이다.

6. 건물의 환원이율은 10%를 적용함.

자료 4 거래사례 현황

1. 거래사례

사례	사례 A	사례 B
소재지	K구 C동 125-19 외	K구 S동 487-1 외
규모	지하 5층/지상 17층(전체)	지하 4층/지상 14층(전체)
건물면적	17,563.5m²	6,859.4m²
거래가격	60,000,000,000원	32,500,000,000원
개별공시지가(2025.1.1.)	16,800,000원/m²	13,700,000원/m²
용도지역	일반상업지역, 제3종일반주거지역	일반상업지역, 제3종일반주거지역
거래일자	2024년 3월 28일	2024년 6월 16일
준공일자	1995년 12월	2022년 6월

2. 본건 유사 부동산의 과거 1년 거래의 cap.rate는 5.0%이다.

자료 5 **공시지가기준법 적용 시 그 밖의 요인으로서 100% 상향보정한다.**

자료 6 본건의 적정임대료 분석(단위 : 천원)

임대부분	임대내역		기타수입(주차장 등)	관리비(월)
	임대보증금	월임대료		
임대료 총수익	1,950,000	151,536	0	41,161

자료 7 지역요인 및 개별요인자료

1. 가로조건

구분	광대소각	광대세각	광대한면	중로소각	중로세각	중로한면	기타
평점	1.00	0.99	0.98	0.92	0.90	0.88	0.75

2. 행정적 조건

구분	100%	90% 이상	80% 이상	70% 이상	60% 이상	50% 이상	50% 미만
상업지역의 비율	100	98	96	94	92	90	85

3. 형상조건

구분	정방형	가장형	세장형	사다리형	부정형
평점	1.00	0.98	0.98	0.92	0.88

4. 업무용 부동산의 자본수익률(%, 해당권역)

2024.1Q	2024.2Q	2024.3Q	2024.4Q	2025.1Q	2025.2Q
1.210	1.360	1.080	1.290	1.260	1.370

5. 거래사례와 본건의 가치형성요인 격차율

구분		입지성	물리적 특성	기능성	관리수준	기타요인
가중치		0.40	0.20	0.15	0.10	0.15
비교치	사례 A	0.70	0.80	0.90	1.00	1.00
	사례 B	0.90	1.00	1.00	1.00	1.00

6. K구 S동은 같은 동 내 인근지역이며, 동이 다르면 유사지역으로 분류된다. 지역요인의 격차는 S동(본건 소재)을 100으로 할 때 N동이 98, C동이 95 정도 수준이다.

자료 8 시점에 대한 자료

1. 지가변동률

구분		K구 상업지역
2025년 9월	누계	2.673%
	당월	0.359%

*2024년 12월 이전은 보합세로 본다.

2. 건물의 가격변동은 없는 것으로 본다.

자료 9 기타사항

1. 기준시점은 2025년 10월 23일이다.
2. 토지는 「감정평가에 관한 규칙」에 의한 주방법으로만 평가하도록 함.
3. 보증금운용이율은 연 4.0%, 공실률은 5.0%, 경비비율은 관리비수입의 80%를 적용하며 변동경비임.
4. 각 감정평가별 최종 시산가액(총액)은 십만 단위에서 반올림하여 백만 단위까지 표시하도록 한다.
5. 지가변동률 적용 시 주된 용도지역을 기준으로 적용한다.

감정평가사 P 씨는 (주)GL코리아로부터 본사가 소유한 창고시설에 대한 감정평가를 시가참조용으로 의뢰받고 아래의 자료를 수집(현장조사 완료일은 2025년 10월 17일이었으며, 감정평가서 작성시점은 2025년 10월 23일이다)하였다. 관련법령에 근거하여 아래 제시된 자산에 대한 감정평가액을 결정하시오. 25점

자료 1 평가대상 내역

1. 토지의 세부내역

기호	소재지	지목	공부면적 (㎡)	이용 상황	용도 지역	도로 교통	형상 및 지세	2025년 개별공시지가 (원/㎡)
경기도 파주시 적성면								
1	객현리 515-1	창고용지	12,926	일단의 창고시설	계획관리	일단의 세로(가)	일단의 계단식 완경사, 부정형	102,200
2	객현리 517	창고용지	1,173		계획관리			102,200
3	객현리 518-1	창고용지	1,765		계획관리			102,200
4	객현리 518-2	창고용지	707		계획관리			102,200
5	객현리 518-3	창고용지	6,574		계획관리			102,200
6	객현리 519-1	창고용지	539		계획관리			102,200
7	객현리 519-2	임야	3,400	자연림	계획관리	세로(가)	부정형 완경사	13,500
	소계		27,084	-	-	-	-	-

*객현리 519-2번지는 현황 옹벽 상단의 자연림 상태임

2. 건물의 세부내역

경기도 파주시 적성면 객현리 515-1 외 5필지						
기호	구조 및 층수	층수	용도	대지면적 (㎡)	연면적 (㎡)	사용 승인일자
가	일반철골구조 기타지붕	1층 (H=9m)	창고시설	23,684	15,957.1	2021.05.25.

자료 2 현장조사자료

1. 본건 토지 기호 1~6은 일단의 창고용지이며, 기호 7(3,400㎡)은 현황 자연림이 소재하고 있고 지상에는 경제적 가치가 희박할 것으로 판단되는 활잡목이 소재하고 있다.
2. 본건 창고는 대부분 임차목적으로 활용되고 있으며 일부 공실이 있다.

자료 3 인근의 표준지공시지가(공시기준일 : 2025년 1월 1일)

기호	소재지 지번	지목	면적 (㎡)	이용 상황	용도지역	도로 교통	형상 지세	공시지가 (원/㎡)
A	객현리 538-18	대	619.0	단독 주택	계획관리	세로(가)	사다리 평지	110,000
B	장현리 253-7	공장 용지	2,256.0	공업용	계획관리	세로(가)	부정형 평지	108,000
C	장현리 BL-5-1	대	327.0	상업용	용도지역 미지정	소로한면	장방형 평지	151,000
D	객현리 127-1	대	278.1	상업용	계획관리	소로한면	부정형 평지	237,000
E	객현리 산5-1	임야	12,578	임야	계획관리	맹지	부정형 완경사	15,000

자료 4 거래사례 등

1. 인근지역의 거래사례 현황

(1) 거래사례 가

소재지	경기도 파주시 적성면 객현리 255 외				
구분	용도지역	지목	면적(㎡)	거래시점 개별공시지가(원/㎡)	거래가액(원)
	용도		연면적(㎡)	사용승인일자	거래시점
토지	계획관리	창	12,057	91,000	4,500,000,000
건물	창고 2동		8,500	2017.05.01.	2025.09.01.
토지특성	부정형, 평지, 세로(가)				
건물구조 및 용도 등	건물의 높이 = 9m 신축단가표 기준 대비 5% 우세하다.				

(2) 거래사례 나

소재지	경기도 파주시 적성면 객현리 352-2 외				
구분	용도지역	지목	면적(m²)	거래시점 개별공시지가(원/m²)	거래가액(원)
	용도		연면적(m²)	사용승인일자	거래시점
토지	계획관리	잡	2,741	69,000	1,100,000,000
건물	건축 중인 건물		-(실측기준 약 500m²)	-	2025.08.01.
토지특성	사다리, 평지, 세로(가)				
건물구조 및 용도 등	- 본건은 공사 중인 건물을 취득한 경우로서 건물의 공정률은 약 20% 정도 진행된 상황이었다. - 매수인은 해당 건물의 시공자였으며, 시공비에 대한 청구의 결과 해당 부동산을 매입하게 되었다.				

(3) 거래사례 다

소재지	경기도 파주시 적성면 구읍리 522-4 외				
구분	용도지역	지목	면적(m²)	거래시점 개별공시지가(원/m²)	거래가액(원)
	용도		연면적(m²)	사용승인일자	거래시점
토지	계획관리	답	8,880	70,000	5,000,000,000
건물	-		-	-	2025.08.01.
토지특성	사다리, 완경사, 세로(가)				
건물구조 및 용도 등	현황은 답인 상태에서 건축허가만을 득한 상태에서 거래하였으며, 건축물의 허가용도는 창고이다.				

2. 인근지역의 평가선례의 현황

기호	소재지	지목	면적(m²)	용도지역(이용상황)	토지단가(원/m²)	평가액(원)	평가목적 / 기준시점
a	객현리 67-1	공장용지	517	계획관리(공업용)	124,000	487,205,160	시가참조 / 2024.01.01.
b	식현리 133외	공장용지	3,567	계획관리(창고용)	136,000	1,333,228,000	시가참조 / 2025.09.01.

*평가선례 a는 비교표준지에 비하여 5% 우세하며, 평가선례 b는 비교표준지에 비하여 5% 열세하다.

3. 인근 유사토지의 지가수준

인근 계획관리지역 내 창고용지의 가격수준은 위치, 면적 및 형상 등에 따라 100,000원/㎡~150,000원/㎡ 내외 수준 정도인 것으로 조사되었다.

자료 5 본건 토지조성 및 건축시 소요된 비용내역

1. 개황

본건 토지의 소유자는 토지의 형질변경, 인허가 및 건축에 대한 용역을 일괄로 의뢰하였으며, 그 금액은 총 84억원이었다(부가세는 별도).

2. 전체 공사비의 배분내역

구분	비율
옹벽 및 계단공사비	5%
건축물 내 크레인 비용	3%
토지의 인허가 관련 비용	3%
설계비용	5%
건축공사비 비용 및 잡비	84%
소계(84억원)	100%

3. 전체 공사 및 용역계약금액과 별개로 개발부담금 및 각종 부담금으로서 500,000,000원이 소요되었다.

자료 6 신축단가표

분류번호	용도	구조	표준단가(원/㎡)	내용연수
5-1-6-10	일반창고	철골조 철골지붕틀 컬러피복철판잇기 (h = 12m 이상)	550,000	35 (30~40)
5-1-6-11	일반창고	철골조 철골지붕틀 컬러피복철판잇기 (h = 9m 이상)	420,000	35 (30~40)

*본건 건물은 신축단가표 건물에 비하여 설비 등에서 5% 정도 열세하다.
*감가수정방식은 정액법을 적용하며, 잔가율은 0%이다.

자료 7 본건의 임대차내역

1. 현재 임대차내역
본건 전체를 (주)북스파 외 5인에게 임대보증금 1,807,470,000원 및 월임대료 45,000,000원 임대 중인 것으로 조사되었으며, 본 임대료는 적정한 수준인 것으로 판단된다.

2. 현재 본건 중 1층 일부(임대면적 1,300㎡)는 공실상태이다.

3. 해당 공실부분의 표준적인 임대료는 실질임대료를 기준으로 월 1,500원/㎡에 임대될 것으로 예상되며, 본건과 같은 부동산의 경우 실비는 임차인이 직접 정산하는 것으로 조사되었다.

4. 인근의 창고용시설의 공실률은 5.0%이다.

5. 본건 창고시설의 경우 점유율과 무관하게 인건비, 보험료 등 월 7,000,000원이 경비로 소요된다.

자료 8 지가변동률 등

1. 지가변동률

구분	지가변동률(%)		비고
	계획관리	파주시 평균	
2024년 12월 당월	0.171	0.271	-
2024년 12월 누계	2.741	2.971	2024년 1월~12월
2025년 8월 당월	0.189	0.237	-
2025년 8월 누계	1.636	1.988	2025년 1월~8월

2. 토지가격비준표

(1) 가로조건

구분	중로한면	소로한면	세로(가)	맹지
중로한면	1.00	0.90	0.80	0.70
소로한면	1.10	1.00	0.90	0.80
세로(가)	1.20	1.10	1.00	0.90
맹지	1.40	1.30	1.20	1.00

*세로(불)은 세로(가)에 비하여 5% 열세하며, 각지는 한면에 비하여 5% 우세하다.

(2) 형상

구분	장방형	사다리	부정형
장방형	1.00	0.97	0.94
사다리	1.03	1.00	0.97
부정형	1.06	1.03	1.00

(3) 지세

구분	평지	완경사
평지	1.00	0.95
완경사	1.05	1.00

자료 9 기타자료

1. 임야부분의 개별요인은 창고부분과 대등하다고 보며, 그 밖의 요인보정치는 이용상황에 불문하고 동일하다.
2. 보증금운용이율은 연 3.0%이다.
3. 파주시내 창고시설의 경우 환원이율은 6.0% 정도를 적용하는 것이 적정한 것으로 조사되었으며, 심사위원회도 이에 대한 부분을 승인하였다.

감정평가사 甲 씨는 경기도 포천시에 소재하는 대한은행 포천금융센터장으로부터 아래의 부동산에 대한 담보취득목적의 감정평가를 의뢰받고 사전조사 및 실지조사를 통하여 아래의 자료를 수집하였다. 평가목적을 고려하고 관련법령에 근거하여 제시된 부동산에 대한 시장가치를 감정평가하시오. 35점

자료 1 평가대상물건의 현황(토지)

일련번호	소재지	지번	면적(㎡)	지목	용도지역	이용상황	도로교통	형상지세
1	경기도 포천시 K면 B리	8	745	장	일반공업	공업용	세로(가)	부정형 평지
2		8-1	936	장	일반공업	공업용	세로(가)	부정형 평지
3		9	1,672	장	일반공업 자연녹지	공업용	세로(가)	부정형 평지
4		189-8	7,333	장	일반공업 자연녹지	공업용	세로(가)	부정형 평지
5		189-9	212	장	일반공업	공업용	세로(가)	부정형 평지
6		189-10	92	장	일반공업	공업용	세로(가)	부정형 평지
7		189-15	4,810	장	일반공업 자연녹지	공업용	세로(가)	부정형 평지
8		7-2	1,593	전	일반공업	야적장	세로(가)	부정형 평지
9		8-2	504	전	일반공업	야적장	세로(가)	부정형 평지

*상기 토지 중 자연녹지지역의 면적의 합은 6,000㎡이다.

자료 2 현장조사결과

1. 상기 토지 중 자연녹지지역 부분 중 일부(1,500㎡)는 도시계획시설도로에 저촉되어 있으며, 도시계획도로부분과 별개로 일부(800㎡)에는 현황 일반인이 통행하는 도로로 이용되고 있다.
2. 일반공업지역에는 기타 공법상 제한이 없다.

자료 3 인근지역의 표준지공시지가(2025년 1월 1일)

구분	표준지 A	표준지 B	표준지 C	표준지 D
소재지	K면 B리 4-14	K면 B리 77-1	K면 B리 237-1	K면 B리 321-7
면적(㎡)	1,447	2,571	3,552	578
지목	공장용지	전	공장용지	대
용도지역	일반공업	일반공업	자연녹지	자연녹지
이용상황	공업용	상업용	공업용	상업용
도로교통	세로(가)	중로한면	세로(가)	소로각지
형상/지세	세장형/평지	부정형/평지	세장형/평지	부정형/평지
공시지가 (원/㎡)	230,000	350,000	140,000	250,000
기타	-	-	도로 20%	도로 20%

자료 4 지가변동률

구분		변동률(%)	비고
2024년 12월	당월	-0.226	포천시 공업지역
	누계	0.979	포천시 공업지역
	당월	-0.039	포천시 자연녹지
	누계	1.119	포천시 자연녹지
2025년 9월	당월	0.262	포천시 공업지역
	누계	1.478	포천시 공업지역
	당월	0.731	포천시 자연녹지
	누계	3.261	포천시 자연녹지

자료 5 인근지역의 감정평가선례(그 밖의 요인 비교 자료)

구분	소재지	지목	용도지역 이용상황	감정 목적	기준시점	토지단가(원/㎡)	개별조건
1	K면 B리 4-15	장	일반공업 공업용	담보	2025.09.10.	292,000	세로(가) 부정형 평지
2	K면 B리 11-11	전	일반공업 공업용	보상	2025.01.01.	348,000	세로(가) 사다리 평지

3	K면 B리 11-9	전	일반공업 공업용	처분	2024.12.01.	277,000	세로(가) 부정형 평지
4	K면 B리 10-2	전	자연녹지 전기타	담보	2024.12.01.	181,000	세로(불) 부정형 평지
5	K면 B리 189-3	전	자연녹지 공업기타	담보	2024.12.31.	219,000	소로한면 세장형 평지
6	본건	장, 전	일반공업 자연녹지 공업용 등	경매	2024.12.01.	@320,000(일공, 장) @280,000(일공, 전) @220,000(자녹, 장)	세로(가) 부정형 평지

자료 6 개별요인 평점

1. 가로조건

중로한면	소로한면	세로(가)	세로(불)	맹지
1.00	0.94	0.87	0.83	0.75

*각지는 2% 가산한다.

2. 형상

정방형	가장형	세장형	사다리	부정형
1.00	0.98	0.97	0.95	0.93

3. 도시계획시설

일반	도로	공원
1.00	0.85	0.60

4. 현황 야적장인 경우 공장부분에 비하여 부지조성정도에서 15% 정도 열세하다.
5. 제시되지 않은 개별요인은 모두 대등한 것으로 본다.
6. 비교표준지와 본건의 개별요인 비교치를 산출하는 경우에는 각 조건별 요인치를 구하되 모두 조건, 항목 등 구애받지 않고 상승식으로 처리한다.
7. 평점으로 제시된 개별요인 비교치를 수식으로 변환할 경우에는 적절한 유효숫자를 기준으로 하여 이하는 버림하도록 한다.

자료 7 기타사항

1. 지상의 건축물은 감정평가사 A가 소속된 감정평가법인에서 이미 최근에 평가한 전례가 있어 별도로 평가하지 않도록 하였다. 기 감정평가된 건물의 현황은 아래와 같다.

※ 위 지상건물의 세부현황(기평가)

구조	일반철골구조, 철근콘크리트조, 철골조				용도	공장
소재지	건축 면적(㎡)	연면적 (㎡)	대지 면적(㎡)	층수 (지하/지상)	사용 승인일	관련지번
경기도 포천시 K면 B리 189-8외 6필지	6,156.09	9,597.06	15,800	지하 1층/ 지상 4층	2010. 08.08.	K면 B리 8 K면 B리 8-1 K면 B리 9 K면 B리 189-9 K면 B리 189-10 K면 B리 189-15

2. 토지 감정평가는 공시지가 기준법에 의한다.
3. 그 밖의 요인비교 시에는 "비교표준지 기준방식"에 의한다.
4. 가격조사완료일은 2025년 11월 2일이다.

본건에 대한 감정평가액을 결정하시오. 20점

자료 1 본건의 현황

소재지	서울특별시 A구 B동 100(서울 동북권)				
건물의 개황	지목	용도	대지면적(m²)		규모
	대	제2종 일반주거지역	300		지하1층/지상5층
	구조	연면적(m²)	용도		신축연도
	철근 콘크리트조	850	다세대주택, 근린생활시설		2007.05.10.
감정평가 대상	일련번호	층/호수	면적(m²)			용도
			전유	공용	합계	
	가	2층/201호	35	25	60	근린생활시설
	나	4층/401호	35	25	60	다세대주택

자료 2 거래사례 목록

기호	소재지	층/호수	용도	전유면적 (m²)	신축연도 / 거래시점	거래가격 (원/전유m²)
1	B동 200	제1층 제101호	근린생활 시설	45	2015.04.30. / 2024.10.07.	270,000,000원 (6,000,000원/m²)
2	B동 200	제3층 제301호	근린생활 시설	80	2015.04.30. / 2025.03.06.	240,000,000원 (3,000,000원/m²)
3	B동 400	제3층 제301호	다세대주택	40	2011.07.05. / 2024.12.05.	160,000,000원 (4,000,000원/m²)
4	B동 500	제2층 제201호	다세대주택	40	1983.07.06. / 2025.05.01.	320,000,000원 (8,000,000원/m²)

자료 3 각종 시장자료

1. 한국부동산원 발표 "상업용 부동산의 지역별 투자수익률표(서울특별시)"

기간	서울특별시(단위 : %)		서울특별시 A구(단위 : %)	
	매장용(집합)		매장용(집합)	
	소득수익률	자본수익률	소득수익률	자본수익률
2024년 3분기	0.94	0.41	1.04	0.37
2024년 4분기	1.07	0.34	1.20	0.44
2025년 1분기	0.96	0.71	1.05	0.40
2025년 2분기	0.87	0.51	0.84	0.29
2025년 3분기	미고시	미고시	미고시	미고시

2. 매매가격지수(연립다세대, 서울 동북권)

구분	2024.11.	2024.12.	2025.04.	2025.05.	2025.07.	2025.08.
지수	102.7	103.0	103.2	103.5	103.7	미고시

자료 4 가치형성요인의 비교

1. 토지에 대한 평점

B동 100	B동 200	B동 400	B동 500
100	95	105	90

※ 토지에 대한 비교는 상업용에 국한하며, 주거용은 요인이 대등하다.

2. 건물에 대한 비교 : 건물의 연식에 비하여 우세, 대등, 열세에 대하여 각각 5%의 격차를 두어 비교하도록 한다.

3. 층별효용비

구분	지하1층	지상1층	지상2층	지상3층	지상4층
매장용(집합)	40	100	45	40	35
다세대	85	100	105	110	110

※ 호별효용비는 대등한 것으로 본다.

자료 5 본건 "가"의 임대차내역 등

1. 보증금 : 20,000,000원
2. 월임대료 : 600,000원
3. 월관리비 : 관리비는 임차인이 실비로 납부하고 있다.

자료 6 인근 부동산의 임대시장 현황 등

1. 공실률 : 인근의 표준적인 공실률은 5.0% 수준이다.
2. 경비비율: 유효총수입의 30% 정도가 비용으로 지출된다.
3. 국고채금리 : 2.00%,
   AA등급 회사채 : 2.00%,
   BBB등급 회사채 : 4.00%

자료 7 기타

1. 기준시점은 2025년 9월 30일이며, 감정평가액(총액)은 백만원 단위까지 표시한다.
2. 부동산의 환원이율은 해당 세부 권역의 연간 소득수익률을 기준으로 한다(연간 소득수익률은 매 분기 소득수익률을 상승식으로 연간화하여 활용할 것).
3. 다세대주택은 전세계약을 체결하는 것이 일반적으로서 수익환원법의 적용이 어려운 것으로 본다.

아래 물건에 대한 감정평가를 진행하시오(기준시점 : 2025년 7월 10일). 15점

자료 1 집합건축물관리대장(전유부)

대지위치	서울특별시 A구 B동 100						
호명칭	제104호						
전유부분				공용부분			
층별	구조	용도	면적(㎡)	층별	구조	용도	면적(㎡)
1층	철근콘크리트조	근린생활시설(판매점)	40	각층	철근콘크리트조	계단실, 복도, 엘리베이터실	40

*사용승인일 : 2018년 4월 30일
*해당 상가는 전면부에 위치한 상가인 것으로 확인되었다.

자료 2 거래사례의 목록(이용상황은 모두 상업용임)

연번	소재지	호수	전유면적(㎡)	공용면적(㎡)	거래시점	거래금액
1	B동 100	115호	35	70	2024.06.07.	350,000,000
2	B동 100	B101호	450	900	2024.12.05.	1,800,000,000
3	B동 200	101호	35	65	2024.08.06.	700,000,000
4	B동 200	102호	35	65	2020.07.03.	550,000,000

*거래사례 # 1은 본 건물 내 후면부 상가로 파악되며, 거래사례 #2는 본 건물 내 지하층 거래사례이고, 거래사례 # 3, 4는 모두 본건과 동일 도로변 전면부 상가로 거래된 사례임.
*단지 외부에 대한 요인은 본건 단지를 100을 기준으로 하여 B동 200번지가 소재한 단지는 95이다.
*B동 200번지가 소재하는 단지의 사용승인일은 2012년 4월 1일이다.

자료 3 해당 권역 통계자료(매장용 – 집합, 단위 : %)

구분	2024년 3분기	2024년 4분기	2025년 1분기	2025년 2분기
소득수익률	0.65	1.20	1.15	1.05
자본수익률	0.55	0.61	0.57	0.65
투자수익률	1.20	1.81	1.72	1.70

자료 4 해당 건물의 임대차내역

구분	보증금	월차임	관리비
단위 : 원	80,000,000	3,750,000	실비상계

자료 5

1. 건물의 연식을 기준으로 5% 단위로 보정하도록 한다.
2. 표준적인 공실률은 5%이다.
3. 경비는 2개월치 월차임 정도가 소요되는 것으로 본다(공실률 미고려).
4. 보증금 운용이율 : 3.0%
5. 환원이율은 통계자료를 통하여 추정하도록 한다.
6. 평가단가는 반올림하여 유효숫자 3자리까지 표시하며, 평가액은 반올림하여 백만 원 단위까지 표시한다.

감정평가사 K 씨는 아래의 집합건물(2개호)에 대한 감정평가(시가참조목적)를 진행하고 있다. 제시된 자료를 활용하여 각 호수별 감정평가를 진행하시오. 15점

※ 기준시점 : 2025년 6월 30일

자료 1 평가대상 부동산의 현황

1. 해당 호수의 현황

구분	소재지	호수	용도	전유면적(㎡)	공용면적(㎡)	분양면적(㎡)	대지권면적(㎡)	이용 상황
1	K동 100	101호	근린 생활시설	40.0	40.0	80.0	20.0	일반 음식점
2	K동 100	301호	다세대 주택	60.0	60.0	120.0	40.0	다세대주택

*기호 1의 임대차 현황은 보증금 10,000,000원, 월임대료 1,800,000원이다(해당 임대차내역은 표준적인 임대차내역과 유사한 것으로 판단된다).

2. 해당 건물 전체의 현황

소재지	이용상황	대지면적(㎡)	연면적(㎡)	사용승인일
K동 100	주상용	450	900	2009.08.04.

자료 2 거래사례의 현황

구분	소재지	호수	용도	전유면적(㎡)	거래가격	거래시점	사용 승인일
A	K동 200	102호	근린생 활시설	50.0	500,000,000	2024.07.01.	2010.06.01.
B	K동 200	201호	근린생 활시설	80.0	400,000,000	2024.04.01.	2010.06.01.
C	K동 400	301호	다세대 주택	25.0	150,000,000	2024.07.01.	2024.05.01.
D	K동 500	201호	다세대 주택	45.0	180,000,000	2024.10.01.	2009.07.07.

자료 3 가치형성요인에 대한 평점

1. 단지외부요인 및 내부요인 평점

소재지	K동 100	K동 200	K동 400	K동 500
토지	1.00	1.05	0.95	0.90
건물	0.90	0.92	1.10	0.88

*주거용 및 비주거용에 동일한 것으로 본다.

2. 층별효용비

구분	1층	2층	3층 이상
상업용	100	50	30
주거용	90	95	100

*호별효용비는 대등한 것으로 본다.

자료 4 각종 통계자료

1. 분기별 자본수익률(집합상가, 해당권역)

구분	2024년 1분기	2024년 2분기	2024년 3분기	2024년 4분기	2025년 1분기
자본수익률(%)	0.57	0.64	0.74	0.59	0.47

*2025년 2분기 자본수익률은 고시되지 않았음.

2. 다세대주택 매매가격지수

구분	2024.06.	2024.07.	2024.09.	2024.10.	2025.05.
지수	103.57	104.10	106.74	106.98	108.57

*2025년 6월 이후 지수는 고시되지 않았음.

자료 5 기타사항

1. 보증금운용이율 : 2.0%
2. 인근 상가의 표준적인 공실률 : 5.0%
3. 집합상가의 경비비율 : 유효총수입의 10%
4. 집합상가의 환원이율 : 4.8%
5. 전유면적당 단가(원/m²)를 기준으로 평가하되, 단가는 반올림하여 십만원 단위 이상은 유효숫자 3자리, 만원단위 이하는 유효숫자 2자리를 기준으로 한다.
6. 감정평가 총액은 십만원단위 이하는 절사하여 백만원단위까지 표시한다.

감정평가사 A 씨는 경기도 H시 B동에 소재하는 구분건물에 대한 시가참조용 감정평가를 의뢰받고 아래의 자료를 수집하였다. 가능한 감정평가방법에 의하여 평가대상물건의 시장가치를 평가하시오. 20점

자료 1 본건 토지, 건물 전체의 현황

1. 토지의 개요

구분	내용
소재지	경기도 H시 B동 844-1
토지면적	3,690.3㎡
용도지역 등	일반상업지역, 제1종지구단위계획구역, 성장관리권역
도로접면	본건 북서측으로 노폭 약 30m의 아스콘 포장도로, 남서측으로 노폭 약 40m 내외의 아스콘 포장도로 및 남동으로 노폭 약 8~10m의 아스콘 포장도로와 각각 접하고 있다.

2. 건물의 개요

구분	내용
명칭	A프라자
용도	제1종, 제2종근린생활시설, 문화집회시설, 운동시설 등
건축면적	2,721.27㎡
연면적	32,823.61㎡(용적률 산정용 연면적 : 24,523.8㎡)
건폐율	74.03%
용적률	661.83%
총주차대수	242대
사용승인일	2017.07.06.
건물의 급수 (표준신축단가표 기준)	3급

자료 2 평가대상물건

자료 1의 토지, 건물 중 아래 구분소유권이 평가의 대상이다.

기호	층, 호	전유면적(㎡)	공용면적(㎡)	분양면적(㎡)	전용률(%)	대지권면적(㎡)	비고
가	제6층 제601호	1,437.72	658.75	2,096.47	68.6%	적정대지권	근린생활시설

자료 3 본건 및 인근지역의 비교표준지공시지가의 현황

구분	본건	비교표준지
소재지	B동 844-1	J동 914-4
면적(㎡)	3,690.3	870.9
지목	대	대
용도지역	일반상업	일반상업
이용상황	상업용	상업용
도로조건	광대소각	광대소각
형상/지세	장방형 평지	정방형 평지
공시지가(원/㎡)	6,070,000(개별지가)	6,080,000
공시기준일	2025.01.01.	2025.01.01.
개별요인평점	95	100

자료 4 토지의 거래사례 등

1. 거래사례의 현황

구분	소재지	용도지역 이용상황	지목	도로 조건	토지면적(㎡)	매매시점	매매가격 (원/㎡)
토지 거래사례	N동 1066-2	일반상업 상업용	대	중로한면	1,546.0	2025.1.1.	5,790,000

2. 본건과 사례의 요인비교
   본건은 사례와 인근지역에 위치하고 있으며, 비교표준지는 사례에 비하여 10% 우세하다.

자료 5 구분건물의 거래사례 등

1. 거래사례 A
   (1) 사례의 현황

소재지 등	경기도 H시 B동 844-1(본건 건물 내) 제1층 제113호							
거래금액	전유면적 단가 (원/m^2)	면적(m^2)			용도 지역	이용 상황	도로 조건	사용승인일
거래시점		전유	분양	대지권				
685,356,000 2022.09.02.	11,900,000	57.75	110.92	10.99	일반 상업 지역	근린 생활 시설	광대 소각	2017.07.06.

   (2) 사정은 개입되지 아니하였음.

2. 거래사례 B

(1) 사례의 현황

소재지 등	경기도 H시 B동 830-5(인근 건물 내) 제5층 제501호							
거래금액 / 거래시점	전유면적 단가 (원/m²)	면적(m²)			용도지역	이용상황	도로조건	사용승인일
		전유	분양	대지권				
3,200,000,000 / 2024.10.08.	3,580,000	893.5	1,741.5	적정 대지권	일반상업지역	근린생활시설	광대한면	2011.07.10.

(2) 사정은 개입되지 아니하였음.

(3) 본건은 해당 사례의 건물의 토지요인에서 5% 우세하고, 건물의 연식에서 3% 우세하다.

자료 6 건물의 신축단가표

1. 표준건축비

분류기호	용도	구조	급수	표준단가 (원/㎡)	내용연수
4-1-5-7	점포 및 상가	철근콘크리트조 슬래브지붕	2	1,090,000	50
			3	950,000	50
8-2-5-1	오피스텔	철근콘크리트조 슬래브지붕	1	1,130,000	55
			2	1,060,000	55

2. 본건 건물의 경우 상기의 표준건축비에 부대설비 보정단가로서 ㎡당 100,000원을 가산하여야 함.

자료 7 상업용 부동산 임대사례 조사자료 발췌내용

1. 매장용 빌딩 임대료 및 효용비율(해당 분기)

구분		비고						
		지하 1층	1층	2층	3층	4층	5층	6층 이상
경기	임대료 (천원/㎡)	7.9	31.8	14.2	11.0	10.0	9.6	10.3
	효용비율	0.25	1.00	0.45	0.35	0.31	0.30	0.32

*한국부동산원, 상업용 부동산 임대사례조사

2. 상업용 부동산의 자본수익률(단위 : %)

구분	2024년 1분기	2024년 2분기	2024년 3분기	2024년 4분기	2025년 1분기	2025년 2분기
전체	0.28	−0.07	−0.16	0.26	0.23	0.40
서울	0.27	0.29	−0.09	0.30	0.42	0.56
경기	0.37	−0.19	−0.07	0.05	0.26	0.21

자료 8 지가변동률(화성시 상업지역)

1. 2025년 9월 당월 : 0.000%
2. 2025년 9월 누계 : −0.329%
3. 이외의 모든 지가의 변동은 보합세로 본다.

자료 9 기타사항

1. 토지평가 시 합리성 검토는 생략한다.
2. 본건 구분건물이 소재한 전체 토지, 건물의 층별, 위치별 효용적수의 합은 403,700이며, 이는 전유면적으로 기준하였고, 1층의 효용비를 100으로 기준하였을 경우이다.
3. 기준시점은 2025년 10월 29일이다.

감정평가사 유 씨는 H은행 가산금융센터장으로부터 아래의 부동산에 대한 담보취득 목적의 감정평가를 의뢰받고 아래의 자료를 수집하였다. 제시된 자료를 활용하여 관련 법령에 근거하여 감정평가액을 결정하시오. 15점

자료 1 대상물건의 개요 및 현황

1. 대상물건의 개요

<table>
<tr><th>소재지</th><td colspan="7">서울특별시 금천구 가산동 60-00</td></tr>
<tr><th>건물명 및 호수</th><td colspan="7">A하이엔드타워6 제12층 제1204호</td></tr>
<tr><th rowspan="4">건물의 개황</th><th colspan="2">지목</th><th>용도지역</th><th colspan="2">대지면적(㎡)</th><th colspan="2">규모(지하/지상)</th></tr>
<tr><td colspan="2">대</td><td>준공업지역</td><td colspan="2">8,054</td><td colspan="2">지하 3층/지상 20층</td></tr>
<tr><th colspan="2">구조</th><th>연면적(㎡)</th><th colspan="2">용도</th><th colspan="2">사용승인일</th></tr>
<tr><td colspan="2">철근콘크리트조
(철근)콘크리트지붕</td><td>59,084.31</td><td colspan="2">아파트형공장
(업무용)</td><td colspan="2">2020년 8월 24일</td></tr>
<tr><th rowspan="2">설비현황</th><th>설비</th><th>난방설비</th><th>냉방설비</th><th>위생, 급배수설비</th><th>소화설비</th><th>화재탐지설비</th><th>승강기설비</th></tr>
<tr><td>설치여부</td><td>○</td><td>○</td><td>○</td><td>○</td><td>○</td><td>○</td></tr>
<tr><th rowspan="3">감정평가대상물건개요</th><th rowspan="2">일련번호</th><th rowspan="2">층/호수</th><th colspan="3">면적(㎡)</th><th rowspan="2">소유권 대지권(㎡)</th><th rowspan="2">용도</th></tr>
<tr><th>전유</th><th>공용</th><th>합계</th></tr>
<tr><td>가</td><td>12/1204</td><td>379.79</td><td>303.9</td><td>683.69</td><td>93.20</td><td>아파트형 공장</td></tr>
</table>

2. 감정평가시점 대상건물은 공실상태였다.

3. 기준시점 : 2025년 12월 18일

자료 2 거래사례

<table>
<tr><th rowspan="2">기호</th><th rowspan="2">소재지</th><th>층/호수</th><th rowspan="2">전유면적(㎡)</th><th>거래시점(계약일기준)</th><th rowspan="2">거래가액</th><th rowspan="2">비고</th></tr>
<tr><th>이용상황</th><th>신축연도</th></tr>
<tr><td rowspan="2">㉠</td><td rowspan="2">가산동 60-00
A하이엔드타워6</td><td>12/1201</td><td rowspan="2">379.79</td><td>2025.08.14.</td><td rowspan="2">1,205,738,000</td><td rowspan="2">사옥활용 목적의 매수</td></tr>
<tr><td>아파트형공장</td><td>2020.08.24.</td></tr>
<tr><td rowspan="2">㉡</td><td rowspan="2">가산동 60-00
A하이엔드타워6</td><td>14/1401</td><td rowspan="2">379.79</td><td>2024.11.29.</td><td rowspan="2">1,050,000,000</td><td rowspan="2">법인과 해당 법인 대표자 간의 거래이다.</td></tr>
<tr><td>아파트형공장</td><td>2020.08.24.</td></tr>
</table>

㉢	가산동 60-00 A하이엔드타워6	1/106	57.84	2025.08.10.	680,000,000	임대수익 목적으로 투자
		지원시설 (근린생활시설)		2020.08.24.		
㉣	가산동 60-00 A하이엔드타워6	B1/B101호	127.17	2025.12.01.	574,000,000	직영목적으로 투자
		지원시설 (근린생활시설)		2020.08.24.		

자료 3 임대사례

1. 소재지 및 건물명 : 서울특별시 금천구 가산동 60-00, A하이엔드타워 6
2. 층 및 호수, 면적

층/호수	면적(㎡)		
	전유	공용	합계
6/604	379.79	303.9	683.69

3. 이용상황 : 아파트형공장
4. 임대차 내역(최근) : 보증금 1억원, 월 임대료 5백만원, 관리비는 실비임차인 부담

자료 4 서울특별시 매장용 부동산 자본수익률 표

기간	매장용(집합)	매장용(소규모)
2025년 3분기	0.29%	0.17%

자료 5 본 건물 내 층 및 호별 효용격차

1. 층별 효용비율

(1) 지원시설부분(근린생활시설)

지하 2층	지하 1층	1층	2층	3층
20	40	100	40	25

(2) 아파트형 공장부분

지상 4~5층	지상 6~10층	지상 11~15층	지상 16층 이상
95	98	100	102

2. 호별 효용격차(아파트형공장)

1호	2호	3호	4호
100	95	93	95

자료 6 기타사항

1. 보증금운용이율 : 연 3.0%
2. 인근의 표준적인 공실률 : 5.0%
3. 경비비율 : 유효조소득 대비 10%
4. 환원이율 : 5.0%
5. 본건의 분양계약서

(1) 물건현황

소재지	서울특별시 금천구 가산동 60-00 제12층 제1204호					
구분	면적					대지지분
	전용면적	공유면적	공급면적	주차장면적	분양면적	
면적	379.79㎡	117.61㎡	497.40㎡	186.29㎡	683.69㎡	93.20㎡

*분양면적은 공부정리 시 증감이 있을 수 있으며, 지번 및 대지지분, 등기호수 등은 소유권이전 등기 시 확정함.

(2) 분양금액

대지가격	건물가격	부가세	계
429,725,000	798,763,000	79,876,300	1,308,364,300

6. 백만원 단위까지 표시하도록 한다(절사).

감정평가사 A 씨는 경기도 안산시 단원구 목내동의 복합부동산(공장) 및 기계기구 등 공장에 대한 시가참조용 감정평가를 의뢰받고 아래의 자료를 수집하였다. 관련 법령에 근거하여 (물음 1) 토지의 감정평가액을 산정하고 (물음 2) 건물 및 기계기구의 감정평가액을 산정한 후 (물음 3) 공장의 감정평가액을 결정하시오. 25점

자료 1 대상토지의 개요 및 비교표준지

1. 대상토지의 개요

구분	소재지	지목	면적(㎡)	이용상황	용도지역	도로교통	형상지세	개별지가(원/㎡)
1	목내동 401-1	공장용지	5,569.5	공업용	일반공업	소로한면	가장형 평지	697,000

2. 비교표준지공시지가(2025년 1월 1일)

구분	소재지	지목	면적(㎡)	이용상황	용도지역	도로교통	형상지세	공시지가(원/㎡)
A	목내동 397-3	공장용지	16,490.9	공업용	일반공업	중로각지	가장형 평지	789,000

자료 2 인근지역 및 유사지역의 거래사례

1. 거래사례 가

(1) 거래내역 요약

구분	소재지	지목	토지면적(㎡)	이용상황	용도지역	거래총액	토지단가(원/㎡)	거래시점
거래사례 가	목내동 400-2	장	3,307.0	공업용	일반공업	5,450,000,000	1,680,000 (건물포함)	2024. 04.05.

(2) 지상건물의 현황

1) 구조 및 용도 : 철근콘크리트조 공장

2) 건물의 면적(㎡) : 2,792.65

3) 건물의 사용승인일 : 2017년 1월 16일

4) 건물의 비고 : 사례의 건물은 본건 건물 대비 5% 우세하다.

2. 거래사례 나

(1) 거래내역 요약

구분	소재지	지목	면적(㎡)	이용상황	용도지역	거래총액	토지단가(원/㎡)	거래시점
거래사례 나	원시동 397-2	장	9,858.4	공업용	일반공업	15,200,000,000	1,220,000 (건물포함)	2024. 06.30.

(2) 지상건물의 현황

1) 구조 및 용도 : 철근콘크리트조 공장

2) 건물의 면적(㎡) : 9,027.70

3) 건물의 사용승인일 : 2014.12.12.

4) 건물의 비교 : 사례의 건물은 본건 건물 대비 5% 우세하다.

(3) 거래사례는 유사지역으로서 본건에 비하여 지역요인에 있어 5% 우세하다.

자료 3 개별요인 비교

구분		가로조건	접근조건	환경조건	획지조건	행정적조건	기타조건
본건과의 개별요인 비교치	표준지 A	0.95	0.98	1.00	1.00	1.00	1.00
	거래사례 가	0.90	0.95	1.00	1.00	1.00	1.00
	거래사례 나	0.95	1.05	1.00	1.00	1.00	1.00

자료 4 인근지역의 감정평가선례

1. 개요

인근의 감정평가선례에 대한 자료로서 유사한 공업용지 간에는 면적과 토지의 단가 간의 유사한 선형관계가 있을 것으로 판단된다. 따라서 이는 선형회귀분석으로 분석하도록 함.

2. 인근지역의 감정평가선례

구분	소재지	지목	면적(㎡)	이용상황	용도지역	토지단가	감정평가목적	기준시점
1	목내동 404-10	장	8,316	공업용	일반공업	1,050,000	일반거래	최근
2	목내동 404-9	장	7,261	공업용	일반공업	1,100,000	일반거래	최근

3	목내동 404-8	장	1,653	공업용	일반 공업	1,200,000	일반거래	최근
4	목내동 404-5	장	966	공업용	일반 공업	1,250,000	일반거래	최근
5	목내동 404-2	장	6,647	공업용	일반 공업	1,140,000	일반거래	최근
6	목내동 404-1	장	4,262	공업용	일반 공업	1,170,000	일반거래	최근
7	목내동 404	장	1,274	공업용	준공업	1,340,000	일반거래	최근

자료 5 건물의 감정평가자료 등

1. 본건 건물의 현황
   (1) 소재지 : 경기도 안산시 단원구 목내동 401-1
   (2) 구조 : 철근콘크리트조
   (3) 이용상황 : 공장
   (4) 연면적(㎡) : 8,811.3
   (5) 비고 : 본 공장은 최근에 리모델링 공사를 완료하였다.

2. 재조달원가(기준시점 기준)

구분	표준단가(원/㎡)	보정단가(원/㎡)	재조달원가(원/㎡)
본건	400,000	100,000	500,000

3. 현장조사결과

내용연수	실제경과연수	유효경과연수	잔존내용연수
40	34	10	30

4. 최종잔가율은 0으로 본다.

자료 6 기계기구 현황 및 감정평가자료

1. 기계기구의 현황
   본 공장의 과잉설비는 없는 것으로 판단되며, 공장 전체의 기계기구는 아래의 도입기계 1점이 전부이다.

2. 수입신고서 요약

신고일		입항일	적출국	모델, 규격	
2023/02/21		2023/01/20	BE(Belgium)	Paragon-express	
수량	단가(USD)	금액(USD)	과세가격(CIF)	세종	세액
4ST	920,000	3,680,000	$3,742,444	관 0.00	0
			4,117,923,183	부 10.0	411,792,318

3. 외화환산율

구분	해당 통화당 USD			USD당 해당 통화			해당 통화당 KRW		
USD	2025.10.	2023.2.	2023.1.	2025.10.	2023.2.	2023.1.	2025.10.	2023.2.	2023.1.
	1	1	1	1	1	1	1,100	900	800
EUR	1.324	1.334	1.335	0.755	0.726	0.721	1,420	1,450	1,440

4. 도입기계 보정지수

구분	2025.10.	2023.2.	2023.1.
미국	1.00000	1.13174	1.12147
유럽	1.00000	1.02612	1.02474

5. 기타부대비용

도입가격의 10%가 소요된다.

6. 현행 관세율 및 감면율

현행 도입 시 관세가 5% 부과되며, 감면율은 50%인 것으로 조사되었다.

7. 기계기구의 최종잔가율은 15%이며, 경제적 내용연수는 15년이다.

자료 7 지가변동률(%, 안산시 단원구 공업지역)

구분	지가변동률	비고
2025.01.01.~2025.09.30.	2.450	2025년 9월까지의 누계
2025.09.01.~2025.09.30.	-0.132	2025년 9월분
2024.04.05.~2024.12.31.	1.216	-
2024.06.30.~2024.12.31.	1.071	-

자료 8 생산자물가지수

2024.03.	2024.04.	2024.05.	2024.06.	2024.07.	2025.08.	2025.09.
101.60	101.60	102.00	102.30	102.30	105.90	106.30

자료 9 기타자료

1. 본 공장을 운영하는 법인은 최근에 영업을 시작하였으며, 공장의 일부는 임시적으로 타 법인에게 창고로 임대해주고 있으며, 공장의 수입은 시장상황의 변동에 따라 변동성이 심하여 공장을 단기로 타 법인에게 임대해주는 일이 빈번하게 발생함.
2. 공시지가기준법 적용 시 그 밖의 요인보정치는 1.50을 적용함.
3. 기준시점은 2025년 10월 27일이다.

감정평가사 KDY 씨는 서울특별시 S구 B동 "△△사거리" 동측 인근에 위치하는 부동산에 대한 임대료 산정을 위한 감정평가를 의뢰받고 사전조사 및 현장조사를 통하여 아래의 자료를 수집하였다. 관련법령에 따라 임대료의 감정평가액을 결정하시오. 20점

자료 1 임대료의 산정기간 및 기준시점

임대료의 산정기간은 귀 제시일인 2025.01.01.~2025.12.31.으로 1년간이며, 기준시점은 2025년 1월 1일이다. 계약기간 동안 계약내용은 변동이 없는 것을 전제로 하며, 실질임대료(1년간 임차인이 임대인에게 지불하는 모든 경제적 대가)를 산정하도록 한다.

한편, 본건의 특성상 공동관리비, 임차인의 사용・수익에 따라 발생하는 별도의 전기료, 수도료를 비롯한 부가사용료, 부가가치세(VAT) 등은 고려하지 않도록 한다.

자료 2 대상물건의 개요 및 평가대상

1. 토지의 개요

위치	서울특별시 S구 B동 807-16	지목	대
면적	516㎡	접면도로	남동측으로 폭 약 6m
용도지역	제2종일반상업지역	형상 및 지세	사다리, 평지
이용상황	업무용	2024년 개별공시지가	4,160,000원/㎡

2. 건물의 개요

구조	철근콘크리트조 콘크리트 평슬래브지붕	건축면적	265.2㎡
층수	지하 2층/지상 5층	연면적	1,811.11㎡
사용승인일	2018.06.22.	건폐율	51.4%
이용상황	업무시설, 제1종근린생활시설	용적률	199.13%

설비현황							
냉방설비	난방설비	위생 및 급배수	소화전설비	화재탐지설비	승강기	주차설비	기타
○	○	○	○	○	○	○	-

3. 대상물건의 층별 현황

구분	이용상황	면적(㎡)	임대료 평가대상 여부
1층	사무실 등	221.06	×
2층	사무실 등	210.3	×
3층	사무실 등	222.2	○
4층	사무실 등	197.7	○
5층	사무실 등	176.25	×
지하 2층	창고 등	391.8	×
지하 1층	사무실 등	391.8	×
옥탑 1층	기계실	27(연면적 제외)	×
옥탑 2층	기계실	27(연면적 제외)	×
총 임대면적	-	1,811.11	-

자료 3 인근지역의 임대사례 수집

<table>
<tr><td rowspan="6">임대사례 1</td><td>소재지</td><td colspan="2">B동 807-3 외</td><td>규모</td><td colspan="2">지하 1층/지상 7층</td></tr>
<tr><td>임대부분(임대면적)</td><td>3층일부</td><td>512.399㎡</td><td>사용승인일</td><td colspan="2">2018.04.13.</td></tr>
<tr><td>대지면적</td><td colspan="2">1,245.8㎡</td><td>연면적</td><td colspan="2">5,644.41㎡</td></tr>
<tr><td>이용상황</td><td colspan="2">사무실</td><td>임대시점</td><td colspan="2">2024.01.25.</td></tr>
<tr><td>보증금(원)</td><td>3층일부</td><td>70,000,000</td><td>월임대료(원)</td><td>3층일부</td><td>10,100,000</td></tr>
<tr><td>기타사항</td><td colspan="5">- 임대시점은 임대차계약 체결일 기준임.
- 월임대료는 통상적인 관리비는 포함된 금액임.</td></tr>
</table>

<table>
<tr><td rowspan="8">임대사례 2</td><td>소재지</td><td colspan="2">B동 773-1</td><td>규모</td><td colspan="2">지하 1층/지상 4층</td></tr>
<tr><td rowspan="2">임대부분(임대면적)</td><td>1층</td><td>82.0㎡</td><td rowspan="2">사용승인일</td><td colspan="2" rowspan="2">2000.12.03.</td></tr>
<tr><td>2,3층</td><td>361.2㎡</td></tr>
<tr><td>대지면적</td><td colspan="2">362.9㎡</td><td>연면적</td><td colspan="2">988.21㎡</td></tr>
<tr><td>이용상황</td><td colspan="2">1층 : 자동화기기
2층 : 금융업소</td><td>임대시점</td><td colspan="2">2023.03.(1층)/
2023.06.(2,3층)</td></tr>
<tr><td rowspan="2">보증금(원)</td><td>1층</td><td>40,000,000</td><td rowspan="2">월임대료(원)</td><td>1층</td><td>3,050,000</td></tr>
<tr><td>2,3층</td><td>90,000,000</td><td>2,3층</td><td>4,000,000</td></tr>
<tr><td>기타사항</td><td colspan="5">- 1, 2, 3층은 일괄임대사례로서 한 임차인이 사용하고 있다.</td></tr>
</table>

자료 4 보증금전환이율

해당 권역의 연간 전월세전환이율은 아래와 같다.

구분	1분기	2분기	3분기	4분기
연간 전월세전환율	6.4%	6.5%	6.2%	6.1%

자료 5 생산자물가지수(비주거용 건물임대지수)

시점	비주거용 건물임대지수
2024.01.	101.52
2024.11.	103.14

*2024년 12월 지수는 미고시됨.

자료 6 개별요인 비교항목

구분	항목	격차율(대상/임대사례)	비고
외부요인	고객 유동성과의 적합성, 도심지 및 상업・업무시설과의 접근성, 대중교통의 편의성, 배후지의 크기, 상가의 성숙도, 차량 이용의 편의성 등	0.90	본건이 사례 대비 도심지와의 접근성, 대중교통의 편의성 등에서 열세함.
내부요인	건물 전체의 공실률, 관리상태, 주차의 편리성, 건물의 관리상태 구조 및 마감상태, 건물의 규모 및 최고층수 등	0.95	본건이 사례 대비 규모 등에서 열세함.
호별요인	층별 효용, 위치별 효용 등	-	〈자료 7〉 층별 임대료 및 효용비율을 참고하여 결정함.
기타요인	기타 가치형성에 영향을 미치는 요인	1.00	상호 유사함.

자료 7 층별 임대료 및 효용비율(오피스빌딩 10층 이하)

구분			층구분(천원/㎡)						
			지하 1층*	1층	2층	3층	4층	5층	6~10층
서울	전체	임대료	11.2	35.6	19.4	16.8	16.4	16.1	15.8
		효용비율	0.31	1.00	0.54	0.47	0.46	0.45	0.44
	도심	임대료	11.2	33.7	22.3	18.6	17.5	16.9	16.7
		효용비율	0.33	1.00	0.66	0.55	0.52	0.50	0.50
	강남(본건)	임대료	12.6	41.4	21.6	18.9	19.0	18.4	19.1
		효용비율	0.30	1.00	0.52	0.46	0.42	0.41	0.40
	여의도 마포	임대료	10.9	35.6	18.7	15.6	14.1	14.0	13.5
		효용비율	0.31	1.00	0.53	0.44	0.40	0.39	0.38
	기타	임대료	1.03	33.3	17.3	15.2	15.1	14.8	13.9
		효용비율	0.31	1.00	0.52	0.46	0.45	0.44	0.42

*지하 1층 이하를 포함한다.
*출처 : 상업용 부동산 임대사례조사보고서

자료 8 기타사항

총액은 반올림하여 십만원까지 표시함.

자료 9 임대사례비교법에 의한 임대료 결정 시 참고양식

구분(층)	결정단가(원/㎡)	면적(㎡)	시산임대료(원)
3층		222.2	
4층		197.7	

아래 부동산에 대한 임대료를 감정평가하시오. 한편, 보증금 20,000,000을 설정할 경우의 월차임을 별도로 산정하시오. 15점
※ 임대기간 : 2025년 6월 1일부터 1년간

자료 1 평가대상

1. 서울특별시 A구 B동 100번지, 3층 전체
2. 이용상황 : 사무실
3. 전유면적 : 200㎡
4. 건물의 사용승인일 : 2015년 5월 2일
5. 대지면적 : 500㎡
6. 해당 건물 전체의 개황

구분	지하1층	지상1층	지상2층	지상3층	지상4층	합계
바닥면적(㎡)	300	300	300	300	300	1,500
용도	주차장, 기계실	근린생활시설 (점포)	사무실	사무실	사무실	-

*지상 1층부터 4층까지의 각 층별 전유면적은 모두 200㎡이다.

자료 2 임대사례 목록

연번	이용상황	해당 층	사용승인일	전유면적(㎡)	임대면적(㎡)	보증금	월임대료
A	사무실	2	2017.07.05	300	450	50,000,000	2,500,000
B	사무실	2	1988.07.07	300	300	50,000,000	1,500,000

*관리비는 실비와 상계처리됨
*임대시점은 A, B 모두 2024년 10월 1일이다.

자료 3 층별효용비

구분	1층	2층	3층	4층
효용비	100	50	45	45

자료 4 전체 토지, 건물의 가격자료

1. 해당토지의 시장가치 : 2,000,000원/㎡
2. 해당건물의 재조달원가 : 층에 관계없이 1,400,000원/㎡(내용연수 : 50년)

자료 5 비주거용 부동산의 임대료변동률

구분	2024년 4분기	2025년 1분기	2025년 2분기
임대료변동률	0.75%	0.72%	미고시

자료 6 그 밖의 자료

1. 기대이율 : 3.5%
2. 전월세전환이율 : 6.0%
3. 필요제경비 : 순임대료의 10%를 적용한다.
4. 사례는 본건과 토지에 대한 요인이 대등한 것으로 조사되었으며, 건물의 연식은 5년 정도의 범위는 차이가 없이 임대료가 형성되는 것으로 조사되었다.
5. 실질임대료 단가는 반올림하여 유효숫자 3자리까지 표시한다.

다음 부동산의 임대료를 평가하시오. 10점

자료 1 대상부동산

1. 소재지 등 : A시 Y동 50, 2,000㎡, 일반상업지역, 광대한면, 세장형, 평지
2. 위 지상 건물 : 가설건축물(이용상황 : 모델하우스)

자료 2 임대차내역 등

1. 임대기간 : 2025년 4월 10일 ~ 2026년 4월 9일(1년)
2. 가격조사완료일 : 2025년 4월 3일
3. 가설건축물의 존치기간 : 2024년 4월 10일 ~ 2026년 4월 9일(존치기간 : 2년)
4. 임대차의 목적물 : 토지(지상의 가설건축물은 임차인이 설치한 물건이다.)

자료 3 대상물건의 가격자료

1. 비교표준지 현황(공시기준일 2025년 1월 1일)

소재지	면적(㎡)	지목	이용상황	용도지역	주위환경	도로교통	형상지세	공시지가(원/㎡)	비고
A시 Y동 25	750	대	상업용	일반상업	노선상가지대	광대소각	사다리평지	2,500,000	–

2. 지가변동률
   (1) 2025.01.01.~2025.04.03. : 1.379%
   (2) 2025.01.01.~2025.04.10. : 1.381%
   (3) 2025.01.01.~2026.04.09. : 3.209%(추정치)

3. 지역요인의 비교 : 비교표준지와 본건은 인근지역임.

4. 개별요인의 비교
   (1) 도로조건 : 광대한면(100), 중로한면(90), 소로한면(80)(각지는 5% 가산한다.)
   (2) 형상조건 : 정방형(100), 가장형(102), 세장형(98), 사다리형(96), 부정형(94)
   (3) 지세조건 : 평지(100), 완경사(95)

5. 평가선례(기준시점 : 2025년 1월 1일)

소재지	면적 (㎡)	지목	이용상황	용도지역	주위환경	도로교통	형상지세	평가액 (원/㎡)	평가목적
A시 Y동 75	990	대	상업용	일반상업	노선상가지대	광대한면	가장형평지	3,420,000	시가참조

자료 4 기타자료

1. 기대이율
   (1) 상업용(표준적 이용인 경우 : 6.0%, 일시적 이용인 경우 : 4.0%)
   (2) 주상용(표준적 이용인 경우 : 5.0%, 일시적 이용인 경우 : 3.0%)

2. 필요제경비 : 순임대료의 20%

3. 광대로변은 번화한 상업지대이며, 후면의 중로 및 소로 변으로는 주택 및 상가가 혼재함.

감정평가사 A는 한국N발전주식회사 B복합화력발전처장으로부터 토지에 대한 임대료 감정평가를 의뢰받고 아래의 제시된 자료를 수집하였다. 관련법령에 의거하여 아래 물건에 제시된 기간의 (연간)임대료를 평가하고, 보증금(50,000,000원) 설정 시의 월차임을 결정하시오. 15점

자료 1 임대료 산정기간

2025년 7월 4일부터 2027년 7월 3일(2년간)

자료 2 대상물건의 개요

1. S공단단지 전체의 개요

위치	경기도 시흥시 J동 및 안산시 D구 S동 일원 등	구분	S공단 산업단지 중 지원시설구역
면적	882,045㎡	접면도로	광대로 한면
용도지역	준공업지역	형상 및 지세	부정형, 평지

2. 임대료 산정 대상물건의 개요

위치	경기도 시흥시 J동 및 안산시 D구 S동 일원 등	구분	S공단 산업단지 중 지원시설구역의 일부
면적	13,200㎡ 중 915㎡	접면도로	소로한면
용도지역	준공업지역	형상 및 지세	정방형, 평지

*본건은 가스공급설비로 지정되어 있음(도시계획시설).

3. 본건 인근은 국가산업단지 내 공장 및 발전소 등이 위치하고 있다.

자료 3 인근의 임대사례 수집

구분	소재지	건물의 임대면적(㎡)	임대시점	보증금	월세	비고
임대 사례 1	S동 673-26	148	2024.08.01.	13,000,000	1,300,000	토지, 건물
임대 사례 2	S동 778-12	1,156.2	2024.03.12.	125,000,000	12,500,000	토지, 건물

자료 4 표준지공시지가(2025년 1월 1일)

구분	소재지 지번	지목	면적(㎡)	이용 상황	용도 지역	도로 교통	형상 지세	공시지가(원/㎡)
A	S동 710-14	잡	10,507	공업기타	준공업	중로한면	가장형 평지	815,000

자료 5 개별요인 비교자료

1. 도로조건

광대로	중로	소로	세로(가)
110	100	95	90

2. 토지면적

10,000㎡ 이상	5,000㎡ 이상 10,000㎡ 미만	3,000㎡ 이상 5,000㎡ 미만	1,000㎡ 이상 3,000㎡ 미만	1,000㎡ 미만
80	85	90	95	100

3. 형상

정방형	가장형	세장형	부정형
100	100	98	95

4. 본건은 표준지 대비 접근성에서 15% 열세하다.
5. 가스공급설비와 관련된 도시계획시설로 지정된 경우 15% 열세하다.

자료 6 인근의 평가선례

구분	소재지/지번	지목	면적(㎡)	기준시점	평가단가(원/㎡)
평가 선례	W동 823-1	잡	5,600	2025.05.16.	884,000
	목적	용도지역	이용상황	가로조건	형상
	자산재평가	준공업	공업기타	소로한면	가장형

*평가선례는 제시된 개별조건 이외에는 비교표준지와 대등하다.

자료 7 안산시 D구 지가변동률

구분	지가변동률(%)	비고
2025.01.01.~2025.07.04.	1.848	누계치
2025.01.01.~2027.07.03.	9.269	누계치(추정치)
2025.05.16.~2025.07.04.	0.298	누계치
2025.05.16.~2027.07.03.	7.719	누계치(추정치)

자료 8 기대이율적용기준율표

대분류		소분류		실제이용상황	
				표준적 이용	임시적 이용
Ⅰ.	주거용	아파트	수도권 및 광역시	1.5%~3.5%	0.5%~2.5%
			기타 시도	2.0%~5.0%	1.0%~3.0%
		연립・다세대	수도권 및 광역시	1.5%~5.0%	0.5%~3.0%
			기타 시도	2.5%~6.5%	1.0%~4.0%
		다가구	수도권 및 광역시	2.0%~6.0%	1.0%~3.0%
			기타 시도	3.0%~7.0%	1.0%~4.0%
		단독주택	수도권 및 광역시	1.0%~4.0%	0.5%~2.0%
			기타 시도	1.0%~5.0%	0.5%~3.0%
	상업용	업무용		1.5%~5.0%	0.5%~3.0%
		매장용		3.0%~6.0%	1.0%~4.0%
	공업용	산업단지		2.5%~5.5%	1.0%~3.0%
		기타 공업용		1.5%~4.5%	0.5%~2.5%
Ⅱ.	농지	도시근교농지		1.00% 이내	
		기타농지		1.00%~3.00%	
	임지	유실수 단지 등 수익성이 있는 임지		1.50% 이내	
		자연임지		1.00% 이내	

*적용률 결정 시에는 중위치를 활용한다.

자료 9 기타자료

1. 본 토지는 경기도 안산시 D구 W동 소재 S공단단지 내에 위치하고 있는 H가스공사 연료전지 설치 토지에 대한 임대료 산정을 위한 감정평가이다.
2. 본건을 제외한 비교표준지 및 평가선례는 별도의 도시계획시설이 지정되어 있지 않다.
3. 토지의 감정평가가 필요할 경우 공시지가기준법에 의한다.
4. 임대료의 토지와 건물의 배분은 비현실적인 것으로 A감정평가사가 소속된 평가법인의 심사부에서 결정이 났다.
5. 필요제경비는 공조공과 등으로서 매년 기초가액의 0.3%가 소요된다.
6. 전월세전환율은 8.0%를 기준한다.
7. 본건 설치예정인 시설은 본건 토지의 위치, 공법상 제한 등으로 보아 최유효이용인 것으로 판단된다.
8. 그 밖의 요인보정치 산정 시, 비교표준지 기준방식을 사용하도록 한다.
9. 본건은 산업단지 내 지원시설 구역으로서 기대이율적용기준표 상 기타 공업용지와 대체관계에 있음.

아래 평가대상부분에 대한 임대료를 감정평가하고, 보증금을 10,000,000원 설정할 경우의 월 임대료를 결정하시오. 본건의 임대차계약 예정일은 2025년 7월 15일이며, 2026년 7월 14일(1년간)까지 임대차계약을 할 계획이다. 20점

자료 1 부동산의 개요(소재지 : A시 B동 100번지(대지면적 : 400㎡) 지상 2층 부분)

층	바닥면적(㎡)	용도	사용승인일
지하 1층	200	근린생활시설(일반음식점)	2016.12.01.
1층	150	근린생활시설(일반음식점)	
2층(평가대상)	250	근린생활시설(사무실)	
3층	300	근린생활시설(사무실)	
합계	900	-	

자료 2 임대사례

구분	소재지	임대부분	이용상황	바닥면적(㎡)	임대차내역		임대시점
					보증금	월임대료	사용승인일
임대사례 1	B동 110	2층 부분	음식점	200	20,000,000	1,500,000	2025.02.05.
							2008.05.07.
임대사례 2	B동 120	3층 부분	사무실	250	30,000,000	1,200,000	2025.01.27.
							2009.06.04.

※ 단지 외부요인에서 본건은 임대사례 #1 대비 10% 우세하며, 임대사례 #2 대비 5% 우세하다.
※ 임대사례는 정상적인 임대사례임.

자료 3 해당권역의 임대가격지수(중대형상가)

구분	2024년		2025년					
	4분기		1분기		2분기		3분기	
	지수	변동률(%)	지수	변동률(%)	지수	변동률(%)	지수	변동률(%)
중대형상가	100.02	0.02	100.15	0.13	100.24	0.09	미고시	미고시

자료 4 층별효용비

구분	지하 1층	지상 1층	지상 2층	지상 3층
중대형상가	40	100	55	50

자료 5 기대이율 자료(적용 시 중위치 적용할 것)

대분류	소분류	실제이용상황	
		표준적 이용	임시적 이용
상업용	업무용	1.5% ~ 5.0%	0.5% ~ 3.0%

자료 6 기타자료

1. 임대료형성요인 비교 시 단지내부요인은 건물의 연식에 의하며, 우열세에 따라 5%의 격차를 두어 비교한다.
2. 바닥면적은 임대면적과 동일하다.
3. 건물의 재조달원가 : 900,000원/㎡
   건물의 내용연수 : 50년
4. 토지의 시장가치 : 2,500,000원/㎡
5. 필요제경비는 공조공과 등 제경비로서 순임대료의 10% 수준이다.
   (감가상각비 별도)
6. 전월세전환율 : 연 6.0%

감정평가사 KWJ는 주식회사 A에 볼트를 생산하여 납품하고 있는 (주)충북의 공장을 매각하고자 감정평가사인 당신에게 감정평가를 의뢰하였다. (주)충북의 공장을 평가하시오. 40점

자료 1 평가의뢰 내용

1. 토지
   (1) 소재지 : C시 H구 K동 123번지
   (2) 지목 : 공장용지
   (3) 지적 : 2,400㎡
   (4) 도시계획사항 : 일반공업지역
2. 건물 : 위 지상건물 2동
   (1) 공장 : 철골조, 대골슬레이트지붕, 지상 1층
   (2) 사무실 및 기숙사 : 철근콘크리트조 평슬래브지붕, 지상 2층(1층 : 사무실, 2층 : 기숙사)
3. 기계 : 성형기계(12대), 조형기계(10대), 검사기계(6대)
4. 무형고정자산 : 영업권
5. 의뢰목록은 모두 (주)충북 소유임
6. 기준시점 : 2025년 8월 9일

자료 2 현장조사 내용

1. 토지 : 제시된 공부와 면적은 일치하나 대상토지 중 50%만 공장부지로 조성하여 사용 중이다. 이 중 공장부지는 중로각지, 가로장방형, 평지이며, 잔여지는 잡종지 상태이고 중로한면, 가로장방형, 완경사지 상태이다.
2. 건물 : 공장 1동과 사무실 및 기숙사로 이용 중인 2층 건물 중 1층은 2021년 10월 1일에 준공완료하였고, 2층은 2023년 2월 15일에 증축하였다. 현재 1층은 사무실로, 2층은 기숙사로 이용 중이다.

구분	구조	건축바닥면적(㎡)	내용연수
공장	철골조 대골슬레이트지붕	800	50년
사무실 및 기숙사	철근콘크리트조 평슬래브지붕	1층 200 2층 200	40년

3. 기계 : 대상공장의 생산공정은 성형 → 조형 → 검사기계의 순이며, 기계성능은 다음과 같다.

명칭	규모 · 중량	제작사(구입연도)	성능
성형기	450kg	국산(2023년 9월 1일)	2,000개/분
조형기	320kg	국산(2023년 7월 1일)	3,000개/분
검사기	180kg	일본(2022년 8월 20일)	4,000개/분

※과잉유휴기계 시설은 타 용도로 전용가능성이 있다고 판단되며, 기준시점에 있어서 전용처분가격은 기계가격의 30% 수준이다.

4. 무형고정자산 : (주)충북사가 제시한 영업권은 수익사례수집과정에서 동종유사업종에 비해 초과수익이 발생하고 있는 것으로 조사되었다.

5. 대상 공장은 2023년 11월 1일부터 정상가동되었다.

자료 3 표준지공시지가(2025년 1월 1일)

일련번호	소재지	면적(㎡)	지목	이용상황	용도지역	도로교통	형상 · 지세	공시지가(원/㎡)
1	K동 45번지	1,300	장	공업용	준공업	중로각지	세장형평지	2,100,000
2	K동 26번지	1,200	장	공업용	일반공업	중로한면	정방형평지	1,800,000
3	J동 70번지	4,220	전	공업기타	일반공업	소로각지	부정형완경사	1,400,000
4	J동 100번지	3,100	전	전	계획관리	소로한면	부정형완경사	500,000
5	J동 118번지	2,400	전	전	계획관리	중로한면	부정형평지	950,000
6	K동 144번지	2,810	전	전	일반공업	소로각지	부정형완경사	850,000
7	K동 155번지	2,770	전	잡종지	일반공업	중로한면	정방형완경사	1,250,000

※기호 2는 면적의 20% 정도가 도시계획도로에 저촉되며 저촉된 부분의 가격도 일반적으로 20% 정도 감가가 있는 것으로 조사되었다.

자료 4 대상 공장부지 조사자료(조성지)

(주)충북은 완경사지였던 대상토지(전)를 2018년 9월 1일에 감정평가하여 28억원(㎡당 약 1,170,000원)에 취득하였으며, 1개월 후 토목공사를 착공하여 2023년 3월 31일에 다음과 같이 공사완료하였다.

1. 정지비, 조경공사비, 구조물공사비 등 : 150,000원/㎡
2. 정상이윤 : 공사비의 10%
3. 공사비 및 정상이윤의 지급은 착공시점, 중간시점, 완공시점에 각각 균등지급함.
4. 공사비 등과 토지구입의 투하자본수익률 : 연 6%(월할 시 0.5%)

자료 5 거래사례

1. 거래사례 1
   (1) 소재지 : C시 H구 K동 128번지
   (2) 지목/지적 : 잡종지, 2,000㎡
   (3) 도시계획사항 : 계획관리지역
   (4) 개별요인 : 중로한면, 정방형, 완경사지
   (5) 거래가격 : 1,400,000,000원
   (6) 거래시점 : 2024년 1월 1일

2. 거래사례 2
   (1) 소재지 : C시 H구 K동 64번지
   (2) 지목・지적 : 공장용지, 1,400㎡
   (3) 도시계획사항 : 일반공업지역
   (4) 개별요인 : 소로각지, 정방형, 평지
   (5) 거래가격 : 4,500,000,000원(토지・건물가격구성비 6 : 4)
   (6) 거래시점 : 2024년 1월 1일
   (7) 대금지급조건 : 거래시점, 거래시점으로부터 6개월 후, 1년 후에 각각 1/3씩 지급함

자료 6 건축 관련 자료

1. 대상 공장(철골조 대골슬레이트지붕)의 건축 당시 건축비는 장부상 500,000원/㎡으로 되어 있다.
2. 건설사례 : 철근콘크리트조 평슬래브지붕 건물의 기준시점 현재 표준적인 건축비가 공장은 621,000원/㎡, 사무실은 600,000원/㎡이며, 기숙사는 650,000원/㎡이다.
3. 요인비교
   (1) 대상건물의 사무실은 건설사례의 사무실보다 5% 우세하다.
   (2) 대상건물의 기숙사는 건설사례의 기숙사보다 10% 열세이다.
4. 감가상각 : 정액법, 잔가율 10%, 만년감가

자료 7 기계 관련 자료

1. 기계가격

구분	대수	구입시기	구입단가	감가상각
성형기	12대	2023.9.1.	12,000,000	정률법(잔가율 10%) 내용연수(15년)
조형기	10대	2023.7.1.	10,000,000	정률법(잔가율 15%) 내용연수(15년)
검사기	6대	2022.8.20.	CIF $ 30,000	정률법(잔가율 10%) 내용연수(10년)

*검사기계는 일본기계 신고일자는 2022년 8월 20일이고 등록일자는 2022년 9월 30일이다(감가상각은 만년감가).

2. 외화환산율표

구분 / 국명	해당 통화당 미국 $		미국 $ 당 해당 통화		해당 통화당 한국 ₩	
	2025.8.	2022.8.	2025.8.	2022.8.	2025.8.	2022.8.
미국 $	1	1	1	1	1,200	800
일본 ¥	0.6 (100엔당)	0.7 (100엔당)	166	143	720 (100엔당)	560 (100엔당)

3. 도입기계가격 보정지수(2025년도를 기준으로 하였을 경우 각 연도별 보정지수임)

연도 / 국가	2025.8.	2022.9.	2022.8.
미국	1	1.1315	1.1213
일본	1	1.1614	1.1512

4. 부대비용(대당) 등
   (1) 관세율 : 도입가격(CIF)에 도입 당시 10%, 현행 5%
   (2) L/C 개설비 등 통상의 부대비용(관세 불포함) : 통상 도입가격(CIF)의 5%
   (3) 보험료 : FOB가격의 3%
   (4) 해상운임 : FOB가격의 6%
   (5) 설치비 : 기계(도입)가격(CIF)의 3%

5. 기계기구의 대당 가격은 반올림하여 십만원 단위까지 산정한다.

자료 8 영업권평가 관련 자료

1. 대상 공장은 현재 개당 5원인 볼트를 연간 3억 개 생산하여 납품하고 있는데 이러한 생산활동은 당분간 지속될 것으로 예상되며, 원가 및 제반비용은 70% 수준이다.

2. 대상 공장은 유리한 입지조건, 우수한 생산기술, 양호한 신용 등으로 초과순이익이 발생하고 있으며, 이는 향후 5년간 지속될 것으로 판단된다.
3. 초과순이익은 영업이익의 10%이다.

자료 9 지역요인 및 개별요인 비교치

1. 지역요인 : H구 K동은 H구 J동보다 5% 우세하다.
2. 개별요인

(1) 도로교통

대로	중로	소로	세로
100	90	80	70

*각지인 경우는 10% 가산

(2) 형상

정방형	가로장방형	세로장방형	부정형
100	90	80	70

(3) 지세

평지	완경사	급경사
100	90	80

자료 10 H구 공업지역 지가변동률(%)

기간	변동률(해당 연도 누계)
2023.3.31.~2025.8.9.	5.162
2024년 12월	0.053 (2.665)
2025년 6월	0.085 (1.336)

*2025년 7월 이후 지가변동률은 미고시됨.

자료 11 생산자물가지수

1. 생산자물가지수(건물, 기계기구에 공통 적용됨)

2021.9.	2021.11.	2023.6.	2023.8.	2024.1.	2024.6.	2025.1.	2025.6.
92.61	95.32	97.19	98.67	102.21	108.32	113.33	115.11

*2025년 7월 지수는 미고시됨.

자료 12 그 밖의 요인비교치는 대등한 것으로 보며, 시장할인율 6%(월할 시 0.5%), 초과수익에 대응하는 할인율 10%이다.

박문각
감정평가사

유도은
S+ 감정평가실무연습

2차 | 기본문제 1권 | 문제편

제8판 인쇄 2024. 4. 25. | **제8판 발행** 2024. 4. 30. | **편저자** 유도은
발행인 박 용 | **발행처** (주)박문각출판 | **등록** 2015년 4월 29일 제2015-000104호
주소 06654 서울시 서초구 효령로 283 서경 B/D 4층 | **팩스** (02)584-2927
전화 교재 문의 (02)6466-7202

저자와의 협의하에 인지생략

정가 30,000원
ISBN 979-11-6987-861-6(1권)
979-11-6987-860-9(세트)

MEMO

MEMO

MEMO